CLASSIC

FILM
SCRIPTS

L'AGE D'OR

and

UN CHIEN ANDALOU

films by

Luis Buñuel

translated from the French
by Marianne Alexandre

Simon and Schuster, New York

General Editor: Sandra Wake

Library of Congress Catalog Card Number: 68-27591

Manufactured in Great Britain by Villiers Publications Ltd,
London NW5

CONTENTS

ACKNOWLEDGEMENTS

We wish to thank the British Film Institute for the use of their facilities for showing *L'Age d'Or* and *Un Chien Andalou*.

We would also like to thank the British Film Institute, the Museum of Modern Art, New York, and l'Avant-Scène du Cinéma for the use of their stills; our thanks are also due for the use of frame stills originally prepared for use in *Luis Buñuel* by Raymond Durgnat (Studio Vista, London).

' *L'Age d'Or* Scandal ' is taken from *Le Surréalisme au Cinéma* by Ado Kyrou (Le Terrain Vague).

' Cyril Connolly on *Un Chien Andalou* ' is taken from *The Unquiet Grave* by ' Palinurus ' (Hamish Hamilton, London; Harper & Row, New York).

L'AGE D'OR

INTRODUCTION

A manifesto, written and illustrated by the Surrealists, was
included in the programme of *L'Age d'Or*. It was signed by
Maxime Alexandre, Aragon, André Breton, René Char,
René Crevel, Salvador Dali, Paul Eluard, Benjamin Péret,
Georges Sadoul, André Thirion, Tristan Tzara, Pierre Unik
and Albert Valentin. It contained drawings by Salvador Dali,
Max Ernst, Joán Miro, Man Ray, and Yves Tanguy. It said:

' The day will soon come when we realize that, in spite of the
wear and tear of life that bites like acid into our flesh, the
very cornerstone of that violent liberation which reaches out
for a cleaner life in the heart of the technological age that
corrupts our cities is,
LOVE
Only love remains beyond the realm of that which our
imagination can grasp, dominating the deepness of the wind,
the well full of diamonds, the constructions of the spirit and
the logic of the flesh.

The problem created by the bankruptcy of our emotions,
intimately linked with the problem of capitalism, has not yet
been resolved . . .

Buñuel has formulated a theory of revolution and love which
goes to the very core of human nature; that most tragic of all
debates, galvanized by well-meaning cruelty, finds its ultimate
expression in that unique instant when a distant yet wholly
present voice, so slowly yet so urgently, yells through com-
pressed lips so loudly that it can scarcely be heard :
LOVE . . . Love . . . Love . . . Love

. . . All those who are not yet alarmed by what the censorship
allows them to read in the newspapers must go and see
L'Age d'Or. It complements the present stock-exchange crisis
perfectly, and its impact is all the more direct just because it is

7

surrealistic . . . The foundations are laid, conventions become dogma, policemen push people around just as they do in everyday life. And, just as in everyday life, accidents occur in bourgeois society while that society pays no attention whatsoever. But such accidents (and it must be noted that in Buñuel's film they remain uncorrupted by plausibility) further debilitate an already rotting society that tries to prolong its existence artificially by the use of priests and policemen. The final pessimism born within that society as its optimism begins to wane, becomes a powerful virus that hastens the process of disintegration. That pessimism takes on the value of negation and is immediately translated into anti-clericalism; it thus becomes revolutionary since the fight against religion is also the fight against the world as it is.

But it is *Love* which brings about the transition from pessimism to action; Love, denounced in the bourgeois demonology as the root of all evil. For Love demands the sacrifice of every other value : status, family and honour. And the failure of Love within the social framework leads to Revolt. This process can be seen in the life and works of the Marquis de Sade, who lived in the *golden age* of absolute monarchy . . . so that it is no coincidence if Buñuel's sacrilegious film contains echoes of the blasphemies which the Divine Marquis hurled through the bars of his gaol.

It still remains to be demonstrated that the final outcome of this pessimism will in fact be the struggle and the victory of the proletariat, which will mean the abolition of a society made up of different classes.

In this age of so-called prosperity, the social function of *L'Age d'Or* must be to urge the oppressed to satisfy their hunger for destruction and perhaps even to cater for the masochism of the oppressor.

In spite of all the threats to suppress this film, we believe that it will win out in the end and open new horizons in a sky which can never match in beauty that sky it showed us in a mirror.'

8

' L'AGE D'OR ' SCANDAL

Eisenstein's film *The General Line* was banned in February, 1930. That same year, the *L'Age d'Or* scandal broke out. From October 28th to December 3rd, the film, which had received its Board of Censors visa, was shown without any incidents at *Studio 28*. But on the night of the 3rd, some members of the audience, who were not ordinary spectators, sat through the film waiting for the right moment to display their ' superior intellects.' At one point during the film, when an actor sets down a reliquary on the ground, there were cries of ' Down with the Jews ! ' and ' This will teach you there are some Christians left in France ! ' Then stink bombs began exploding all over the place and spectators were hit on the head. Purple ink was thrown at the screen, furnishings were destroyed and paintings hanging in the lobby by Dali, Max Ernst, Man Ray, Miro and Tanguy were slashed. After interrupting the performance and cutting the telephone wires, the demonstrators (who were members of the League of Patriots and the Anti-Semitic League) fled the cinema. But their stink bombs were only child's play, games for hysterical old men, compared to Buñuel's film. The performance began again.

That screen which bore the traces of ' Christian illiteracy ' should have been kept and used for each showing of *L'Age d'Or*. In that way, the priests, the fascists, the anti-Semites and the patriots would have recognized themselves even more clearly in the parents of Lya Lys, the governor, the priests, the politicians and the Christ who appear in the film.

ADO KYROU, ' *Le Surréalisme au Cinéma* '

TWO NOTES FROM LUIS BUNUEL

' What can I do against those fervent admirers of novelty, even if a novelty outrages their deepest convictions, against a venal or hypocritical press, against the idiotic multitude which has pronounced as *beautiful* or *poetic* what in essence is only a desperate and passionate appeal to murder? '

1929

' It is surrealism which has revealed to me that in life there is a moral code from which man cannot extricate himself. It has enabled me to learn for the first time that man is not free. I believed in the absolute liberty of man, but I have seen in surrealism a discipline to be exercised. This has been a great lesson in my life as well as a marvellous and poetic step forward.'

1954

NOTE ON THE SCRIPT OF
L'AGE D'OR

This version of the script of L'Age d'Or is based on Luis Buñuel's own shooting script. Additions to that shooting script which appear in the edited version of the film for the screen are indicated in square brackets. Significant omissions from the shooting script in the final screen version are indicated by notes at the bottom of the page. Except for the opening sequence about the scorpions, Buñuel adhered to his shooting script, although the changes made in the final version are significant. His shooting script version of the first seven shots and four titles of the film, which he did not shoot owing to the perverse behaviour of his scorpions, were as follows:

Iris in on close-up of a scorpion on a flat stone. A hand comes into shot and tentatively moves towards the scorpion as though to try and pick it up. The scorpion raises its

10

poisonous sting menacingly.

TITLE: THE SCORPION BELONGS TO THE CLASS OF ARACHNIDA WHICH USUALLY LIVES UNDER STONES.

Different angle of the scorpion as it edges away from the hand and hides under the stone. No sooner has it disappeared under the stone when the hand lifts up the stone to reveal the scorpion once more.
Close-up of the scorpion facing camera. It raises its tail in the air in such a way that its joints can be seen clearly. Fade out except for the scorpion's sting which is superimposed on the following words :

TITLE: THE ABDOMEN OF THE SCORPION IS ARTICULATED AND THE END SECTION CONTAINS THE POISONOUS STING WHICH CAN CAUSE DEATH.

The hand touches the scorpion's back with a straw. The scorpion stings the straw repeatedly.

TITLE: A LEGEND WHICH HAS NEVER BEEN PUT TO THE TEST CLAIMS THAT THE SCORPION COMMITS SUICIDE WHEN ENCIRCLED BY FIRE.

Tilt down onto the scorpion which is now motionless, giving no sign of life except for the continuous movement of its tail. Same shot of the scorpion encircled by a ring of fire.

TITLE: THE SCORPION USUALLY LIVES IN BARREN AND ROCKY AREAS ALMOST COM- PLETELY DEVOID OF VEGETATION.

The scorpion, seen extremely clearly in close-up, climbs vertically up a rock. As it climbs, the camera tracks back rapidly so that the insect recedes in the distance and finally disappears from sight. Camera reveals a landscape as arid and desolate as the surface of the moon . . .

11

CREDITS

Script by	Luis Buñuel and Salvador Dali
Directed and produced by	Luis Buñuel
Production by	Vicomte de Noailles
Photographed by	Albert Dubergen
Edited by	Luis Buñuel
Assistant Director	Jacques Brunius
Décor	Schilzneck
Music by	Wagner, Mendelssohn, Beethoven and Debussy
Time	63 minutes
First shown in Paris	1930 at Studio 28

CAST

Gaston Modot
Lya Lys
Max Ernst
Pierre Prévert
José Antigas
Caridad de Laberdesque
Liorens Artryas
Lionel Salem
Madame Noizet
Duchange
Ibanez

PROGRAMME

PARIS-BESTIAUX
film de D ABRIC et M GOREI

UN FILM COMIQUE

Au Village
film de montage
de Leonid MOGUY

UN DESSIN ANIMÉ SONORE

et

L'AGE D'OR

film parlant surréaliste

de Luis BUNUEL

Scénario de Luis BUNUEL & DALI

interprété par

GASTON MODOT
LYA LYS

Caridad de LABERDESQUE   **Lionel SALEM**

Max ERNST   **Madame NOIZET**

Liorens ARTRYAS   **DUCHANGE**

IBANEZ

Reproduction of a page taken from the programme of Studio 28, which was issued for the first performance of *L'Age d'Or* in 1930. Gaston Modot kindly provided l'Avant-Scène du Cinéma with a copy of this very rare programme.

13

L'AGE D'OR

[Two scorpions are on a doorpost. A third scorpion comes towards them along a large joint between two stones in the wall.
A single scorpion walks left to right, the sting on its tail raised.
Two scorpions fight one another, stings raised.

TITLE: THE SCORPION BELONGS TO A CLASS OF ARACHNIDS FOUND WIDELY IN THE HOT REGIONS OF THE ANCIENT WORLD.

Close-up of scorpions on stones. A hand holding tweezers lifts up one, then another, and puts them into a tin.
Two scorpions fight, then one flees from the other.

TITLE: THE TAIL IS FORMED BY A SERIES OF FIVE PRISMATIC JOINTS.

A scorpion advances.
The joints of its tail are seen in big close-up.
One joint in its tail is seen in magnified close-up.
The scorpion advances.

TITLE: THE CLAWS RESEMBLE THE LARGER CLAWS OF THE CRAYFISH; THEY ARE ORGANS OF BATTLE AND INFORMATION.

Iris in on the big close-up of twin open pincers of a scorpion; these seem to be menacing each other.
Two scorpions battle, then scurry off.

TITLE: THE TAIL ENDS IN A SIXTH BLADDER-LIKE JOINT, WHICH HOLDS POISON. A CURVED

*AND POINTED STING INJECTS POISONOUS FLUID
INTO A BITE.*

Two scorpions battle.
Iris in on a magnified close-up of the venomous sting at the
end of a scorpion's tail.
Another angle of three scorpions, battling this time on sand
rather than small stones.
Jump cut to two scorpions battling. The third rejoins the
battle. Their curved poisonous tails seem almost to embrace.

*TITLE: FRIEND OF THE DARKNESS, IT BURROWS
BENEATH STONES TO ESCAPE FROM THE GLARE
OF THE SUN.*

A scorpion burrows into the sand beneath a stone. A second
scorpion attacks it from behind as it burrows.

*TITLE: NOT AT ALL SOCIABLE, IT EJECTS THE
INTRUDER WHO COMES TO DISTURB ITS
SOLITUDE.*

The second scorpion is twice repulsed from the burrow under
the stone.

*TITLE: WHAT LIGHTNING SPEED AND WHAT
VIRTUOSITY IN THE ATTACK! IN SPITE OF ITS
FURY, EVEN THE RAT FALLS TO ITS STRIKES.*

On a bare patch of sand, a rat (in reality a hamster) and a
scorpion fight. The rat is bitten and paws at its bites. The
scorpion attacks again. The rat tries to eat it. The scorpion
withdraws. The rat twists, falls, dies.

TITLE: SOME HOURS AFTERWARDS . . .]

Camera reveals a landscape as arid and desolate as the surface
of the moon. [Its rocky crags overlook the sea. A ragged man
on sentry duty with a rifle is seen back to camera.]

Religious organ music. Recitative.

The same landscape seen from another angle.

We now see the man in medium close-up; he is a gaunt,
wild-eyed bandit, armed to the teeth. He is perched on one
of the rocks, watching something attentively beyond the
cliff near the sea.

Close-up of the bandit; his starved, wretched appearance is
both grotesque and tragic. He continues to stare at a point
in the distance, and we can tell from his jittery manner that
he must be a scout on sentry duty at an outpost, sent there
by his comrades to warn them of some expected arrival. The
bandit takes one last quick look at the scene.

The music suddenly grows louder.

From the bandit's angle, we see, in sharp definition, four
archbishops in their ceremonial robes standing near the
shore. They are performing ritual gestures as though they
were inside the choir of a cathedral.

[Cut to rugged cliffs towering above, with the bandit peering
from a boulder at their top. Dissolve to a medium close-up
of him, staring forward, very tired.]

Cut back to the shot of the archbishops facing the camera and
singing; the sea is visible behind them.

Camera pans horizontally to show each bishop one by one
in medium shot.[1] They all chant in the monotonous drone
used by canons in a cathedral choir. One of them vaguely
follows the mass in his breviary while the others hold their
breviaries closed with a finger inserted between the pages to
mark their place.

Dissolve to a slightly more distant shot of the bandit; he is
still staring at the archbishops and is about to leave his post
to go and warn his comrades. As he jumps down from the
rock, he nearly falls with weakness but picks himself up again
immediately and starts walking towards camera. His
expression of suffering and pain could be partially due to
hunger. He moves off screen.

[Cut to a reverse angle of him, staggering as he stumbles down

---

[1] The original screenplay adds: ' The fourth and smallest of the
bishops wears a tiny ridiculous moustache and is extremely dignified.'

the rocks. Another shot shows him again making his way down with difficulty.]

New angle of the bishops still singing.[1]

A new area of the same landscape. The bandit is moving side-ways towards camera, going as fast as his condition allows him. He is clutching the rifle which he has been carrying throughout.

Quick dissolve to the bandit, climbing down a rocky slope. Quick dissolve to the bandit, stopping to mop his forehead; he seems dizzy and feverish, yet makes an effort of will and keeps going.

Long shot of some ruins or a hut used as a hideout by the bandits. The bandit appears in shot, his back to the camera, moving towards the ruins.

Shot of the bandit as though seen from the ruins, as he goes forward. He tries to jump across a narrow ditch, but is so weak that he crashes to the ground. His fall is absurd, pathetic, considering the narrowness of the ditch. [There is a new shot of the ruins.] The bandit painfully gets onto his feet again and limps off in the direction of the ruins.

Another shot of the ruins.

Dissolve into the bandits' den : a wretched room with great gaping holes in the ceiling. It contains a few broken-down chairs, an unused fireplace and heaps of straw which serve as bedding. One of the bandits is lying on one of the piles of straw. Another bandit is gnawing on a hunk of bread.

[Two bandits stand beside a pitchfork supported on a staff; they pull a rope through its prongs.] The captain, who is sitting in the centre of the room, is noticed last of all.

Two wretches sit about doing nothing and staring vacantly with hungry and anxious expressions.

[The two bandits holding the pitchfork and the staff slowly pull the rope between the prongs. The rope is held in the background by the dying bandit Péman.]

The dying Péman is lying in a corner on a heap of straw.

---

[1] The original screenplay adds : ' Close-up of the bishop with the moustache. It may be decided during shooting to make the bishops fall asleep, lulled by the sound of the waves.'

Camera tilts down on him in medium close-up [as he slowly unwinds the rope off a crude reel. Intercut between him and the two bandits pulling the rope between the prongs.]
Insert of the captain. He has the same tragic and desperate expression as the first bandit, yet seems more energetic and purposeful than the others. Half grotesque, half ferocious, he stares [and yells.

CAPTAIN : Enough ! Enough ! *(Still on page 17)*

The two men stop pulling the rope and put down the pitchfork and staff. The dying man slumps back on the bed.
The captain glares down.
The two men join the other two bandits, shoving them aside to sit down.
The captain pushes to his feet a bandit with a rifle and a crutch, who goes over to . . .
The dying Péman, lying on his straw. The bandit on the crutch approaches him and tries to cut the cord. Sound of knocking on the door.
One of the three bandits who are sitting gets to his feet.
The captain plays with a clasp-knife in his hand.
The bandit who has just risen goes over to the door with his pistol ready.
The captain, still playing with his knife, suddenly yells.

CAPTAIN : Stop !

The bandit with the pistol puts it back and turns aside.
The bandit on the crutch turns away from the dying man.]
The captain shouts unintelligibly, indicates towards the door, before sinking back.[1]
The bandit on the crutch lets go of the cord and limps over to the door. [Another angle shows him approaching the door. The captain slumps back.] The limping bandit pulls back the bolt and opens the door.
The first bandit appears, the one who had been standing sentry.

---

[1] The original screenplay stated that the captain heard knocking outside in some sort of signal.

Shot of the bandit stepping into the room [and leaning, exhausted, inside the door. In close-up we see] the bandit lost in thought, as though he were just waking up; then, staring hard at the captain, he asks a question.

BANDIT : Have I made a mistake, perhaps . . .?

Shot of the captain now looking more alert and scowling at the new arrival; the captain's expression soon changes as, put out by being asked a question, he takes a quick look at the others before replying.

CAPTAIN : No . . . we haven't seen anything.

[The other bandits slump back.]
Suddenly, the captain's tone changes.

CAPTAIN *gruffly* : Is there something new? Yes or no?

The bandit hears the captain's negative answer with utter indifference, lost in his private dream. When the captain begins to ask questions energetically, the bandit gives a slight start as though coming back to life and makes an effort to remember.

BANDIT : Yes, the Majorcans are here at last.

On hearing this, the captain jumps up and starts giving orders.

CAPTAIN : Quick! To arms!

Long shot of the interior of the den. With some difficulty, the bandits are preparing to obey their captain. They pick up their rifles; a few begin walking towards the door.
[Reverse angle, as the bandits move away from the door.

CAPTAIN : Back!

The bandits move forward again through the door.]
Insert of the captain as he reaches the door and opens it. He shouts at his men to make them move faster.
Outside the ruin, the bandits stumble from the doorway, taking the road which the bandit took, in order to confront the archbishops.

[The bandit with the crutch sits down and begins whittling with his knife the flower-stem which he has been sucking.]
The captain comes back inside the ruin. He gives a searching glance around the room. He seems to be looking for someone and asks curtly:

CAPTAIN: And Péman?

Close-up of Péman lying on the straw, livid and almost unconscious. As he hears his leader calling out to him, he slowly opens his eyes, twitches, and, after a tremendous effort, replies in a neutral voice.

PEMAN: I'm done for.[1]

The captain's expression changes from one of anger to one of genuine astonishment at Péman's ridiculous excuse. He cannot control his surprise, yet, now convinced, he calls out.

CAPTAIN: Me too! Let's get going!

Péman makes a feeble, but bitter gesture of resentment.

PEMAN *weakly*: Yes, yes, but you've got accordions, hippopotami, keys, climbers . . . and . . .

The captain, who has recovered from his surprise, shrugs and turns to go.

[CAPTAIN: So what? Let's go.]

Péman makes one final effort to get out his last words.

PEMAN: . . . and paintbrushes.

His head falls back onto the straw.
[The captain leaves the ruin and is followed by the bandit with the crutch.]
The captain moves forward to be at the head of his men, seen back to camera. They all start walking much faster than they ought to in their condition.
The same landscape shot from the same angle, with the narrow

---

[1] The original screenplay had Péman first replying from his death bed:
' We're going too! We're going! '

ditch (or dried-up stream) where the bandit fell. The bandits, led by their chief, appear from the right, moving away from camera. The first bandit falls once again, tries to pull himself up, then collapses for good. He lies there, a look of fear and exhaustion on his face, watching his comrades disappear. Medium close-up of the fallen bandit looking at his comrades moving away. He sinks his head on his arms. Quick fade out. Dissolve to the bandits walking across the screen with the same landscape in the background. [Cut to another angle where the bandits are seen from the rear.] They seem worn out already and one of them, who is trailing behind the others, stumbles, falls, and remains lying there, unable to get up again. [Medium close-up of this second fallen bandit lying by his gun. He tries to rise and sinks back.]

Camera tilts down onto a steep slope : as soon as the bandits start trying to climb it, they begin falling down one after the other, overcome with exhaustion.[1] [One of them, seen in close-up, crawls on his belly a little up the slope, then slumps. Another lies where he has fallen, licking his lips. From their point of view, we see the captain climbing the hill.]

Dissolve to a spot where, facing the camera in medium close-up, he turns around to see if his men are still following him. He too seems about to collapse. By the time he turns around, however, all his men have fallen.

The captain, facing the camera, looks back at his men with infinite sadness and exhaustion. He takes a last helpless look in their direction. Slow fade out.

---

[1] The original screenplay added the following shots :
(a) ' Various shots in medium close-up of the men falling. Two bandits try to get onto the same rock, bump into each other and crash to the ground. This should seem grotesque, yet something about their fierce expressions of despair prevents the scene from being merely farcical.'
(b) ' Another bandit is so worn out that, after collapsing, he remains lying on the ground, face down, without trying to move.'
(c) ' The bandits, as seen by their leader, lying strewn about the slope . . . In the foreground, looking towards the camera which is placed where the captain would be sitting, one of the bandits feebly begins to crawl forward; his face clearly shows what this final effort of will-power is costing him.'

Fade in to the rock, seen from above, where the archbishops
were discovered by the bandit. At first glance, nothing seems
to have changed until we gradually notice that the archbishops
have turned into skeletons. There is also something slightly
awry about their position which does not correspond exactly
to the one they were in when the sentry saw them for the first
time. *(Still on page 18)*
A rocky inlet of the sea shows some ten boats and dinghies
full of people. They are being rowed close to the shore.
(Still on page 18)
Dissolve to medium close-up, tilting down onto a boat full of
important people who have come for the inauguration or
public ceremony which is about to take place. The first to
climb out of the boat, assisted by two men in uniform, is a
small governor who wears a wide sash across his chest as a
badge of his rank. The other distinguished occupants of the
boat climb out after him [including an army officer and a
priest. *(Still on page 19)* This group of people walk away from
camera into the rocky landscape. Intercut several times with]
another group of people, including a nun, getting out of a
boat. They set off towards the left and the right, but all of
them are presumably walking in the direction of the rock
where the remains of the archbishops lie.
More people climb out of boats while others, already on the
beach, start walking towards the same spot. This shot contains
a great number of people and gives the impression of a
huge crowd.
[The procession from the boats approaches down a rocky
defile. It is seen first in long shot, then in medium shot, led
by the small governor in his top hat, flanked by men in uniform. *(Still on page 19)* Another angle shows the procession
advancing.]
We now see the remains of the archbishops from the crowd's
angle. The skeletons are half-buried in sand, and one or
two of them have nearly disappeared. Nothing is left of their
robes except for a few shreds of cloth. All this gives the
impression that they have been lying there for centuries,
although less than an hour has elapsed since the bandit first
saw them. One of the skeletons, a few tatters hanging from

the bones, is still in a sitting position. The leg and foot bones
of another are sticking out of the sand. Here and there are
fragments of clothing, almost impossible to identify.
[The crowd forms up in front of the skeletons. All remove
their hats in respect; an officer salutes. The skeletons and skulls
look back from the rocks. From different angles we see the
crowd of people move on, replacing their hats. They surround
an inaugural stone.]
In the foreground, the first row of people, including the more
important members of the party. All remain silent while the
governor looks at the notes of the speech which he is about
to make for the inaugural ceremony.
Medium close-up of the governor holding his notes and getting
ready to deliver his speech. Suddenly, screams are heard
coming from behind the crowd, right at the back. Everyone
turns around to see what is going on.
New shot of the crowd seen from above. Everyone's back is
now turned to the camera but, as the shouts and insults grow
louder, all the people swivel round to face camera, which is
placed on the spot from where the cries are coming.
In the foreground, a man and a woman are lying together
on the ground and lasciviously rolling about in the mud.
Camera tilts down onto a group of people who were standing
at the back of the crowd. They have formed a circle and are
shouting at someone who must be lying on the ground just by
their feet. The crowd moves and sways, shouting insults.
People from the crowd turn to run over to the lovers.
Close-up of the lovers. The woman is letting the man do what
he likes, an expression of infinite tenderness in her eyes, like
a mother allowing her child to kiss her. The man is biting her
ear with a look of insane lust on his face.
One of the spectators kicks the man, while others grab at the
woman and try to pull her away from her lover.
In a slightly more distant shot of the crowd, two or three
people rush over and tear the couple apart, pulling the woman
to her feet and dragging her off.
Medium close-up of the woman being led away by two people
who hold her by the arms. The camera tracks after her as
she turns back to look anxiously and lovingly at the man.

[She is followed by two nuns, a worker, and a priest.]
Camera tilts down in medium close-up onto the man, who has now gone almost beserk [as he is held down, and is reaching out for the woman.] The whites of his eyes are showing, and he continues to roll about convulsively in the mud. He still gets an occasional kick, but the crowd, now convinced that he is mad, is losing interest and drifting away.

Dissolve to close-up of the man's face. His half-closed eyes are fixed on some ineffable vision of delight. He seems over-whelmed with emotion and nods gently, as though in rhythm to his voluptuous fantasy. He has stopped rolling about in the mud and his total absorption in some private vision must be made very clear to link up this shot with the following one.

Insert of the young woman sitting on an immaculately white lavatory. (This location is only suggested and not made explicit, so that we have an uneasy suspicion that this is where she is, rather than a certainty. The young woman is dressed immaculately and everything about her conveys an impression of great purity.)

Shot of the lavatory with no one sitting on it. The roll of toilet paper which is unwound down to the floor catches fire at the end and soon the entire roll bursts into flames. At the last instant, the shot becomes blurred, as though the camera was being jogged and shaken.

Shot of streams of lava at the base of a volcano.[1]

[Close-up shots of lava or boiling mud.
Shots of the man yearning after the young woman from the mud, while the crowd kick him and then break away from around him.]

Two policemen grab the man, shaking him very roughly to wake him up from his vision, and drag him away. Although the man is now more conscious of his surroundings, he is still lost in his dream as he goes with the policemen.

New shot of the man, slightly further away, being dragged along by the two policemen. People throw a final glance at him, then turn back to watch the ceremony which has started

---

[1] The original screenplay also suggested a possible shot of a landscape stretching out to infinity.

29

at last. We can hear the opening words of the speech as the policemen and their prisoner advance towards camera.
[A little white dog on a leash, seen in close-up, starts barking.] Camera tracks forward towards the man walking between the two policemen. The dog is barking in the distance. The man gives an odd start and looks back in the direction of the sound of barking. With a sudden gesture, the man manages to break loose and starts running towards the barking dog.

A woman is standing in the back row, listening with great interest to the governor's speech. The little dog on a leash is standing by her feet and barking. The man comes into shot and gives the animal a violent kick which sends it flying in the air. The two policemen appear in shot almost immediately after the man and fall on him, brutally catching and hand-cuffing him. They drag him off again. Now that he has accomplished what he wanted to do, the man goes with them without resisting.

Medium close-up of the governor giving his speech. His voice is squeaky and unintelligible.[1]

[Pan with the man, who is being taken away between the two policemen, the breakers of the sea white on the shoreline behind them.

Two men, wearing chains round their necks and cocked hats, lift up a tray of wet cement with a trowel, and hold it over the foundation stone.]

On the beach, the man handcuffed between the policemen is seen in long shot.[2] He notices something on the ground to his right which so fascinates him that he stops short. In spite of the two policemen, he strains in its direction.

Insert of a black insect crawling along the beach.

The man, struggling to get away from the policemen, appears in shot. He is staring at something on the ground just by his feet and trying to stamp on it. The two policemen are trying

---

[1] The original screenplay suggested a stop frame at a pompous moment in the governor's speech.

[2] The original screenplay suggested a closer shot to show ' the strange vacant expression on the man's face as he walks along with eyes almost shut.'

30

to stop him, but, in the end, he manages to crush something under his foot.

Close-up of the man's feet and legs. A large insect is crawling only inches away from them. Although the man is struggling with the policemen and being pushed and pulled about, he manages to stamp on the insect.

The man and the policemen go off towards the right, their backs to the camera, and disappear in the deserted landscape. Fade out.

Dissolve to long shot of the governor surrounded by a few people as he deposits a little pat of cement on the stone. After he has done this, the group rejoins the crowd while camera remains on the stone in close-up, showing the little pat of cement.

Dissolve to close-up of the inscription on the stone, which now fills the screen so that we can read the following carved words: '*In the Year of Our Lord, 1930, on the site of the last resting-place of the four Majorcans, this stone was laid as the first foundation for the city of . . .*'

An aerial view of modern Rome. [Pan across the Tiber and the city.]

TITLE: IMPERIAL ROME.

Continued aerial view of Rome, including a shot of the Vatican.

TITLE: THE ANCIENT MISTRESS OF THE PAGAN WORLD BECAME, CENTURIES AGO, THE SECULAR SEAT OF THE CHURCH. A FEW ASPECTS OF THE VATICAN, FIRMEST PILLAR OF THE CHURCH.

Shot of a portion of the Vatican façade. We notice, among various architectural details, a window with ceremonial drapes.

Shot of the window. A piece of paper (in fact, a letter) has been stuck over a broken window-pane.

Close-up of the piece of paper.

The piece of paper fills the screen so that we can clearly read the following text: '*I've spoken to the landlord; he's letting*

31

us acquire a long lease on very favourable terms. If you like, we'll go straight to his house from the station; that way Pierrot and Ninette can keep the chauffeur. I'm longing to hear more about what you mentioned in your letter. Nothing else to say. See you very soon. Love and kisses from your cousin.'

Shot of a street with cars passing, which could be in Rome or in any modern city.

TITLE: *BUT ALSO, THE VERY ANCIENT IMPERIAL CITY HAS JOINED IN THE HUBBUB OF MODERN LIFE.*

Medium close-up of a traffic jam at an intersection.
[Shot of an upturned trolley and girders on a building site.
Shot of the dull façade of an apartment building.
Shot of a few pedestrians at a crossroads, seen from above.
Shot of a crowd in the ancient ruined Coliseum.]
Shot of a woman walking in front of a nondescript shop front.
Shot of a portion of a café terrace, containing four or five tables at which customers are drinking.[1] One of the customers is covered with dust from head to foot. He leaves the café, trying to flick off some of the dust from one of his lapels, but very casually, as though only that tiny patch were grubby.
Shot of a long blank wall in an empty street.

[TITLE: *SOMETIMES ON SUNDAY* . . .

The fronts of houses fall in with huge explosions all the way down a street.]

TITLE: *VARIOUS PICTURESQUE ASPECTS OF THE GREAT METROPOLIS.*

Shot of an extremely dull door.
Shot of a water fountain.
[Shot of a pillar and painted railings.

---

[1] The original screenplay suggested a woman sobbing at one of the tables, her face in her hands, while nobody took any notice of her.

Shot of the back of a statue in a park.
Dissolve to another woman walking by a bookshop.]
Shot of another pavement with people walking along. One
of them is a highly respectable-looking gentleman who, as he
walks, kicks a violin before him. He does this in the surrep-
titious way that some people avoid stepping on the lines in the
pavement.
[He kicks the violin further along the street, then a close-up
shows him stamping it to pieces.
Shot of the slum roofs of a city.]
In a large empty park is the back of a statue with a stone
balanced on its head. An old bearded gentleman walks towards
camera, an identical stone on his head. [Dissolve to the front
of the statue, revealed to be a prophet's, balancing the stone
on its head. Dissolve to] shot of the old gentleman in medium
close-up walking away from camera, the stone resting on his
hat.
Fade out.
Fade in to a street with a wooden palisade, as the handcuffed
man in his muddy suit and the two policemen come into shot,
advancing towards camera, past a poster. The man stops the
policeman to stare at the poster. Insert of the man staring
avidly at the poster.
Close-up of the poster which advertises a hand-cream. It
shows a very white feminine hand with a wedding-ring on
its finger, pointing towards an open tin of fluffy hand-cream
with something similar to the sliced top of a gooseberry on
its top.
Superimpose onto a shot of a real hand, very much like the
one in the poster. The hand twitches and the wedding-ring
finger agitates a swatch of hair.[1]
[Return to the man staring avidly at the poster.]
The two policemen, taken by surprise, have also stopped;

---

[1] The original screenplay had the hand-cream poster showing a white
hand with the wedding-ring finger inside a painted hole, and the
real wedding-ring finger also inside a hole. The screenplay added:
' The movement of the finger should be extremely disturbing with
strong onanistic connotations.'

but they recover and start dragging their prisoner forward. Punching him, they jerk him away from the spot, past other posters.

[The three men advance down the street.]

A sandwich-board man appears, coming from the opposite direction.

[The three men advance down the street.]

The three men pass the sandwich-board man in the street. On his board, he is carrying a poster advertising a make of stockings. The poster shows a pair of woman's legs, encased in fine silk stockings, spread rather wide like the legs of a woman sitting with her knees apart. The handcuffed man stares at the poster as he passes, turning and craning his head so as not to lose sight of it.

The sandwich-board man, seen from the back, disappears down a street [as ordinary men and women block him off.]

Shot of a street. The policemen and their prisoner can be seen, quite a long way off, walking towards camera. When they reach the foreground, one policeman lights a cigarette.

As the three men set off once more, the prisoner turns his head so that he can look into a hairdresser's. His attention has been caught by a large photograph in the window.

Close-up of his face — this time, his expression is far more lustful and passionate than on the two previous occasions.

The photograph represents a woman who resembles the man's mistress. Her head is thrown voluptuously back, like that of a film-star advertising a film.

Mix to the real face of the young woman, her head thrown back just like that of the woman in the advertisement. The camera tracks back several feet to reveal the young woman, shuddering with desire, lying on a sofa in an elegant room, one leg raised. (This shot must suggest that the man's fantasy of his mistress, as he looked at the poster, did in fact correspond to how the young woman was feeling at that moment.)

Cut back to the man's face; his expression is one of love and yearning.

Shot of the photograph, seen from the same angle.

The man and the two policemen dragging him with them,

34

walk down the street until they disappear.

Shot of the young woman : her sleepy, sensual expression makes the significance of the previous shot of her quite clear. She is slowly, lazily recovering and waking up from her fantasy. Finally, she gets up and walks across the room.

[Shot of the three men walking away down the street. An urchin follows them. One of the policemen curses the urchin, who drops back, but still follows.]

In the foreground of a long shot of the drawing-room, the young woman's mother is seen in three-quarters profile, as she sits silently in an armchair, looking up from a magazine to watch her daughter, whose wedding-ring finger is bandaged, entering the room.[1]

Medium close-up of the young woman with her wedding-ring finger bandaged, as she picks up a book and leafs through it, then a close-up of her bandaged finger against the open book. The mother, seen in medium shot from above, sits in her armchair, holding the magazine. She watches her daughter carefully before speaking.

MOTHER : Your hand is bandaged?

The young woman looks up when she hears her mother's question and replies casually.

YOUNG WOMAN : Yes, my finger's been sore for several days now . . . Tell me, mummy, is daddy home yet?

Cut back to her mother.

MOTHER : He's in the laboratory. After that, he'll go to his room and get ready for the party.

Shot of the young woman's father, the Marquis, against a background of shelves full of bottles, packages, etc. He is energetically shaking a bottle, using the same finger as his daughter's bandaged finger, as a plug. It is that finger which is making the bottle jiggle up and down.

---

[1] The original screenplay located the young woman on a lawn outside. She entered the house and met her mother as she was going upstairs, her bandaged wedding-ring finger sliding along the bannisters.

Cut back to the young woman, as she starts to explain.

YOUNG WOMAN : We went out together in the morning and there were already four. The smallest one sang out of tune; he had a small moustache. Only the pianist was missing. But they suggest we use a priest who plays the violin very well. Those musicians will be enough because six of them playing close to the microphone make more noise than sixty placed far away. I know a lot of sound gets lost out of doors but . . . we can seat the guests nearer the orchestra. I was thinking . . . myself . . .

Cut back to the mother, as she interrupts.

MOTHER : Hurry up ! The Majorcans will be arriving at nine o'clock.

[The young woman walks towards camera to get ready for the evening, and passes her mother.]
Dissolve to long shot of the young woman's bedroom. The door remains closed for a moment, then opens as the young woman comes into the room. An enormous cow is lying on the bed at the other end of the room.
Medium close-up of the young woman closing the door, seeing the cow, and reacting sharply.
The young woman goes over to the bed.
Shot of the cow lying on the bed, placidly as in a cowshed, as though she was quite accustomed to lying there. The young woman comes into shot and orders the cow off the bed, as she would do with a dog.
Shot taken from behind the bed with the cow in the fore-ground and the young woman beyond. The cow gets off the bed while the young woman shoos her away. The cow goes off towards the left and the young woman walks round the bed following the animal.
Long shot of the door as the cow goes out of the room. The young woman closes the door after her. [The tinkle of the bell around the cow's neck can still be heard in the room after the cow has left. The sound of the cow-bell can be heard throughout the following scene.] After closing the door, the young woman goes over to the dressing-table.

36

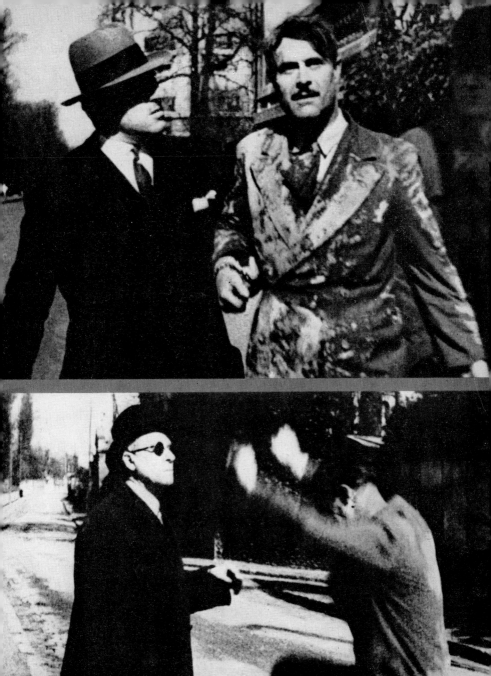

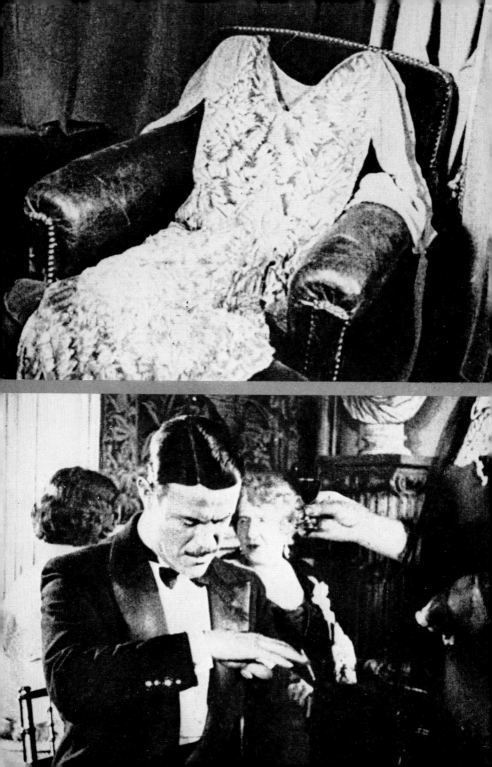

Shot of the dressing-table, taken sideways so that we cannot see the image reflected in the mirror. The young woman reaches the dressing-table and sits down, facing the mirror. Her expression is one of great serenity; she is lost in thought and seems to be dreaming of someone she loves. She takes a vague look at the mirror and mechanically picks up a nail-buff. [These scenes are very slow.]

Medium close-up of the young woman sitting at her dressing-table, facing camera. Without paying any attention to what she is doing, she buffs her nails a few times, then puts the nail-buff back on the table. She looks down at her nails without really seeing them, then looks up at the mirror. [Shot of the man handcuffed to the two policemen walking by the iron railings of a park.]

The young woman's eyes are full of tears as she crosses her hands and presses them to her breast, near the heart. She does this so automatically and unselfconsciously that there is nothing melodramatic in the gesture. She goes on dreaming about her lover, nodding gently and frowning a little, her eyes full of tears. Hearing the sound of a dog barking, she gives a slight start and seems more moved than ever. She bites her underlip.

Dissolve to a shot of two dogs on their hind legs with their paws up against the railing, barking at the man and the two policemen, walking along the pavement next to the railings. [Close-up of a barking dog behind wired railings. Then cut to close-up of the man.] His expression is identical to the young woman's; his eyes are full of tears.

Another shot shows his handcuffed hands held back by the policemen, as he tries to stop and look at the dogs with great tenderness.

The young woman is still transfigured by her dream as she gazes at herself in the mirror.

The man is hustled away from the railings and the dogs by the policemen.

The young woman's hair and clothes begin to flutter in the breeze which is coming from the mirror.

Close-up of the mirror which does not reflect the young woman's face or the bedroom, but a sky full of oval-shaped white clouds drifting towards a setting sun. In the foreground sharply etched against the sky, is a vase of flowers which are swaying in the wind.

The young woman is seen in profile, then from the back, shot in such a way that we can also see the reflection of the sky in the mirror. Her hair blows in the wind. She is seen in profile again, before she presses her forehead against the mirror, turning her yearning face towards camera. *(Still on page 20)* There is a slow fade out. For a while, the screen remains black.

Dissolve to shot of a pavement. The man and the policemen are walking towards camera *(Still on page 37)* : a well-dressed gentleman is coming towards them in the opposite direction. The gentleman crosses the path of the three men. As he goes by, the prisoner turns to shout an insult at him.

MAN : Bastard! [Assassin!]

The two policemen stop short on hearing the insult and look at their prisoner with fury. One of them pushes the man and punches him in the side.

Shot of the gentleman walking away from camera. When he hears the insult, he turns his head, looks very frightened, and hurries off.

Return to the man between the two policemen.

FIRST POLICEMAN : I'll break your jaw. Stop annoying people and get going!

[SECOND POLICEMAN : You'll see what we'll do to you . . . a proper job!]

The man is not in the least upset by this; it is as though the remark were being addressed to someone else.

[New shot of the man marched by the two policemen down between two high walls.

A blind man approaches, well-dressed and wearing dark glasses and carrying a stick.]

The man between the two policemen hails a taxi.

Shot of the taxi slowing down, seen from the prisoner's angle.

Medium close-up of the man and the policemen. The police-

42

men hurl themselves on the man when they see him trying to call a taxi. One policeman catches him by the lapel and growls :

FIRST POLICEMAN : Look, shall I rough you up a bit?

The man seems to notice the existence of the policemen for the first time, although he still refuses to look them in the face out of sheer contempt. He slaps his pocket and speaks in a very bad-tempered way, trying to control himself.

MAN : Right. Enough is enough. [You don't know who you're dealing with. I'll show you who I am.]

The two policemen look at each other questioningly. The first one holds the man securely by the arm while the other undoes the handcuffs; but he does this with a threatening expression, as though hoping to find further proof of the prisoner's guilt. The man pulls a paper out of his breast pocket and gives it to the policemen.

[FIRST POLICEMAN : Fine. We'll see.]

Close-up, tilting downwards over one of the policemen's shoulders, so that the document fills the screen when he unfolds it.
Close-up of the unfolded document. It has a seal and is covered with signatures so that it looks terribly important and official. We can almost make out the prisoner's name on the first line, followed by some highly flattering descriptions of his qualities.
Slow dissolve to a gathering of important officials sitting at a table. The man, now dressed in a smart frock-coat and seen from the back, is standing on the other side of the table as a Minister or President, also standing, hands him the document. The man shakes hands with all the officials, and bows. The Minister, seen in close-up, speaks.

MINISTER : As of this date, the International Assembly of Goodwill appoints Don X, first delegate of the new mission. This document is a proof of the trust which we, representatives of the Fatherland, place in you. We all express the hope that you will prove worthy of that trust in order to fulfil that mission of good will with which you have been entrusted. On your spirit of self-sacrifice and on your proved courage depend the lives of hundreds of children, women . . .

Medium shot of the prisoner who, feeling sulky and wanting it to be over as soon as possible, recites to the policemen the rest of the Minister's speech without looking at them, in the sing-song voice of school children when they recite the multi-plication table.

MAN : . . . depend the lives of hundreds of children, women and old men. Thus our honour and that of the Fatherland are in your hands, as you perform the noble task which you have undertaken.

Without waiting for a reaction, the man hails another taxi which is coming in his direction.
A taxi stops in the foreground. The man walks up to it and opens the door.
The man gives an address to the driver, then looks off. He runs away from the taxi to go and kick the blind man. (*Still on page 37*)
The blind man falls over backwards at the kick.
The man runs back to the taxi, jumps in, and is driven off past the fallen blind man.
Medium shot of the two policemen, one of them holding the document, frowning and looking resentfully at the man leaving; however, they do nothing to prevent him, partly because they believe in his high rank and partly because they have been taken by surprise. They both look dazed and rather worried. Fade out.

TITLE: IN THEIR MAGNIFICENT VILLA NEAR ROME THE MARQUIS OF X AND HIS WIFE GET READY TO WELCOME THEIR GUESTS.

Dissolve to shot of the gate of a large house. The gate is open and cars carrying guests are drawing up, one after the other, by the front door.

44

Shot of the front door of the house, taken in such a way that we also see the cars pulling up in the foreground. A footman is opening the car doors. A very elegantly-dressed couple step out of one limousine which drives on to make room for the next one.

Another footman ushers the guests into the house.

[The guests enter the hallway and begin shedding their coats to enter the main ballroom beyond.]

New angle of a car stopping. The footman opens the door for a man and woman, who get out and advance.

[The guests enter the hallway and shed their coats.]

Long shot of the ballroom, with the door to the hallway. Several guests are entering while others stand about in groups. The Marquise is standing, graciously receiving her guests as they arrive.

[Shot of an old, distinguished, bearded man talking to a dowager lady. Above them, a huge picture.]

Shot of the Marquis talking to some guests.

Medium close-up of the Marquis, having a serious discussion with one guest. His face is covered with flies which he occasionally tries to brush away.

Outside, a car is stopping. The footman opens the door. [He takes a large altarpiece, probably a reliquary, out of the car and puts it on the ground.] The man and woman inside the car step out and go off. [The footman replaces the reliquary in the car, which drives away. There is the sound of the cow bell.][1]

Long shots of the ballroom, where nearly all the guests are assembled. [The Marquis and the Marquise greet the small governor, who gave the speech, and his wife.]

Suddenly, a farm cart appears in the ballroom. In the cart are two drunken labourers, while a third labourer leads the horse pulling the cart through the ballroom.[2] They make

---

[1] The original screenplay specified an incense-burner which remained in the car. It was at the point when the reliquary was shown on screen that a right-wing riot broke out at one showing of the film.

[2] The original screenplay specified a three-mule cart driven by one mule driver.

45

their way through the throng of guests towards the door of
the room. None of the guests seem in the least bit surprised.
On the contrary, they continue chatting and do no more than
step aside to let the cart go by.

Medium shot of the Marquise talking to the same guests as
before. When they notice the cart, they move to one side,
without interrupting their conversation, to let the cart through.
In long shot, the Marquise is seen standing to one side with
her two guests, as the cart goes through the room. A few
guests who were about to enter the ballroom step aside and
wait for the cart to pass.

Another long shot of the ballroom shows the guests standing
chatting in groups, as though the cart had never even
appeared.

[The governor goes to sit beside the two distinguished elderly
people.]

Shot of the front door of the house, seen from the outside.
The two footmen are chatting to each other. A gamekeeper,
his shotgun slung over his shoulder, nods to the footmen and
leaves them.

Cut to follow the gamekeeper in the foreground, as he turns
to walk towards his house where a chair stands near the door.
Track after his back as a little boy in a beret comes running
out of the house to greet him affectionately.[1]

The gamekeeper puts an arm round the boy's shoulders, then
sits down with him on his lap, setting his gun up against the
wall. [Both of them look happily inside the game-bag carried
by the keeper, who then kisses the boy.]

Medium shot of the Marquis's daughter as she stands in the
ballroom talking to a friend. The friend is chatting away
volubly about some trifling matter, but the young woman
hardly pays any attention. She looks as though she were
expecting someone, an expression of love and anxiety on her
face. Her hand, the one with the bandaged finger, toys with
a ring on her other hand, which is pressed to her breast as
she taps rhythmically on the ring.

Close-up of the young woman so that the nervous drumming

---

[1] The original screenplay specified a little girl.

46

of her fingers against the ring is clearly visible.

Insert of a servant rubbing a spot from a decanter. It is in exactly the same place on the screen as the ring, so that the connection between the two movements is quite clear.

Long shot of a small room adjoining the ballroom. A servant is preparing cocktails. Another servant, standing by a large punch bowl, is filling the punch cups set out on a vast silver tray.

Medium close-up of the servants facing the camera. Beyond them, we can see a smaller door which is not the one leading to the ballroom. Suddenly, this door opens and flames and clouds of smoke appear. A maid comes rushing out, scream-ing with terror, and sinks to the ground. The two servants only look at her, without going to her help. They pick up the tray and walk over to the door which leads to the living-room. Rather worried, they go out, left.

Flames are pouring out of the little door as the two servants, looking more composed, emerge into the living-room, carrying the trays. One of the valets takes a look back over his shoulder to see how the fire is progressing.

The maid, overcome by the fumes, is lying in front of the small door, which is still belching out smoke and flames.

Shots of the living-room. The two valets start offering punch to the guests, who have paid no attention whatsoever to the fire.

The seated gamekeeper is seen in medium close-up, rolling a cigarette. The little boy is watching him, smiling and fidgeting, as he looks at his father, thinking of a trick to play on him. Suddenly the boy knocks his father's cigarette down. Without any warning, the father flies into a rage, glares at his son and tries to hit him. He ducks the blow and runs off in high spirits, thinking this is a new game.

[The boy runs into a field of high grass and flowers, and tumbles over in play.

He jumps up, smiling, and runs on into the grass.]

The gamekeeper father, seen in medium close-up, is furious to see his son running away. He seems on the point of leaping up to run after the boy, when he suddenly catches sight of his

shotgun resting against the wall by his side.
[The little boy runs in a semi-circle to return through the tall grass and flowers.]
Intercut between the gamekeeper, picking up the shotgun and, after a brief pause, raising it to his shoulder and aiming *(Still on page 38)* and shooting — and between the boy, as seen by his father. He has stopped running and is looking at his father provocatively as though inviting him to join in a game of tag. Seeing his father aiming the shotgun at him, the boy turns and runs off happily again, thinking it is all play. At the shot from the gun, the boy falls, mortally wounded. The child is seen lying on the ground in close-up, his back almost turned to camera. *(Still on page 38)* His father shoots a second time. The shot raises a lot of dust around the child, who gives a jerk forwards.

Medium shot of the Marquise talking with her two friends. All three give a start when they hear the shots. The Marquise listens for a second, then gets up and goes over to the balcony, followed by her two friends.

A shot of the balcony, seen from the outside in the foreground. The Marquise walks out onto it, followed by her guests. Other guests are already standing on the balcony. Everyone is very excited.

The balcony, seen from the exterior. Shocked guests are looking at the dead child lying on the ground.

The child's body, seen from the balcony. Two footmen and the gamekeeper are standing there. One of the footmen leans over to see if the child is still alive. The father is explaining how it happened to the other footman. (At the instant when the guests see the scene, the gamekeeper ought to be discussing the incident with one of the footmen while the other rushes up to the body of the child.)

Shot of the guests assembled on the balcony. The Marquise is shaking her head disapprovingly. The other guests' reactions vary.

By the boy's body, the father is describing what took place with great ill-humour. The footman shakes his head uncertainly, still feeling that the father's behaviour has been a little excessive.

Intercut between the guests on the balcony, as they leave it, and the interior of the ballroom, as the guests come back after the incident. Many of the guests have not left their chairs since the shots were heard. A few of the guests go up to the valet who is serving drinks. Others go to the far end of the hall, moving out of shot.[1]

Cut to the young woman with two friends as they reach a chair. The young woman sits down and remains in the fore-ground. One friend is smiling and gesticulating as she chatters away, but the young woman takes no interest in what is being said. Other people come back into the ballroom. The young woman, now sitting alone, remains lost in thought and unable to concentrate on her immediate surroundings.

The man, first seen in the mud, and now impeccably dressed for the occasion, comes into the hallway of the house. He is trailing a woman's dress on the floor after him. The dress is identical to the one that his mistress is wearing. When he comes in, a servant goes up to him and takes his coat and hat. The man, still trailing the dress after him, goes into the hall. Intercut with a medium close-up of the trailing dress. The man stops by the entrance to the main ballroom and throws the dress across an armchair by the door.

Close-up of the dress lying where the man has tossed it, draped across the back of the armchair. *(Still on page 39)* Shot of the young woman sitting in an armchair, at the same angle as the dress in the previous shot. Intercut between her seated, the dress on the chair, and the man taking off his overcoat. She looks across the room towards the hallway, and her face suddenly lights up with joy as she sees her lover come in.

The door of the hall, seen from inside. The man enters and advances towards the foreground. His expression is an odd mixture of love and slyness. He has seen the young woman and makes a gesture, warning her to be careful because of all the people around them, but telling her that they will be

---

[1] The original screenplay added a shot of a disgusted guest noticing that an amorous young couple had not even stopped flirting to investigate the shots.

alone together very soon.

The man's expression changes abruptly; he half-closes his eyes and bites his lips savagely, a look of unbridled lust on his face.

Cut to the young woman looking questioningly at her lover. He nods his head slightly, full of love and tenderness, and she bites her underlip as though to acknowledge his desire. [Intercut with two guests greeting the man, who brushes them off curtly, and continues to signal to the young woman.] The man is seen from another angle coming towards his mistress. At that moment, the Marquise goes up to him. He kisses her hand. She sits on an empty chair, and he sits on another chair beside her.

The young woman sits, looking sad and alone.

The Marquise chats effusively to the man. It is obvious, from the informal way she greeted him and is now talking with him, that they last saw each other very recently, perhaps only a few hours ago. But the Marquise soon realizes that the man is unable to concentrate on their exchanges. [Two friends come up close to the young woman and try to distract her.] Intercut between the man not paying attention and the Marquise talking. He tries to concentrate, but his gaze is irresistibly drawn back to a sideboard, laid out with drinks and seen briefly in close-up, as a hand pours a drink from a bottle wrapped in a napkin. In the end, the man gives up trying to look at the Marquise and concentrates wholly on the sideboard. She forgives him with an indulgent smile and goes over to the sideboard.

Shot of the man, seen from the back, with the Marquise in medium shot, as she goes over to the table and takes a glass of punch. Still smiling and talking to the man, she goes back to him and offers him the glass. [He is unable to get away in time.]

The man and the Marquise now both face camera in medium shot. The Marquise goes on chatting as she graciously offers the sitting man a cocktail. As she hands him the glass, a few drops fall.

Close-up of the Marquise's hand trembling slightly and

spilling a few drops from the glass onto the man's hand and knee.

Medium shot of the man noticing what she has done, his expression gradually changing to one of fury. *(Still on page 39)* He glares at her, enraged.

Cut back to both of them, as the Marquise looks at the man's face first, then at the stain. She is alarmed and bewildered by the violence of his reaction. The man tears the glass out of her hand, jumps up and gives her a terrific slap across the face. The Marquise staggers and falls back on her chair.

Medium shot of a guest standing with two friends. He reacts immediately. His face distorted with rage and amazement, he rushes over to the man.

The young woman, seen seated in medium close-up with clasped hands, is looking much too cheerful for the occasion. She moves her head rapidly, her eyes full of tenderness. As far as she is concerned, anything the man does is wonderful.

Long shot of the guests. They all rise at the same time; two or three women rush to the Marquise's side. The Marquis makes his way towards the man. A few guests at the back of the hall also come forward to where the man is standing.

Long shot of the Marquise lying on the chair. The man stands near her, completely indifferent to the scandal he has just provoked, gazing at his beloved. Two friends kneel by the Marquise and try to bring her back to consciousness. The outraged Marquis reaches the spot and is restrained by two other guests from attacking the man.

The man does not pay the slightest attention to anything except his mistress, whom he looks at adoringly. A guest seizes him by the arms while a servant stands by menacingly, ready to interfere at the least sign of resistance.

Medium close-up of the Marquis struggling to break his friends' hold on him and finally shouting at the man to leave the house immediately.

[The young woman rises and looks adoringly at the man.]
Seen from a different angle, the man takes a last look at his mistress, as he is pushed from the room.

[The young woman looks after him sadly, but yearningly. Two other young women and a man come up beside her in

51

sympathy to lead her over to her mother.]
The camera pans after the man as he walks off, picking up
the dress he left on the armchair in the lobby and trailing it
after him.
Cut back to the young woman, who has moved towards the
group around her mother. She kisses her mother, then looks
after her lover, full of sympathy at his action. Fade out.
A long shot shows the guests milling about the ballroom.
There are a few guests around the Marquise, who is now
sitting up in an armchair and beginning to recover from the
shock. She is holding a bottle of smelling salts which she
raises to her nostrils from time to time. She holds in her
other hand a handkerchief against her slapped cheek.
[The young woman looks adoringly after her absent lover.]
With a few guests around, the Marquis tries to console his
wife and she smiles through her tears. He kisses her on the
brow.
On the side of a curtain by the entrance to the hallway, the
man's face appears. He looks about the room very cautiously
until he catches sight of his mistress, who catches sight of him
almost immediately. He then signals to her, indicating the
door which leads into the garden. He smiles when he sees
that she understands what he is trying to tell her. He seems
very agitated, and it is obviously only his desire for her which
has made him come back. As a couple pass by the curtain,
he ducks back out of sight, then emerges again to continue
signalling. This shot is intercut with shots of the young
woman, who stands in the group near her mother. When she
sees the man, an expression of delight crosses her face *(Still
on page 40)*, followed by her agreement with his signals to go
towards the garden. She then looks at the group around her
mother and, seeing that none of them is paying any attention
to her, she moves away.
Long shot of the French windows, leading to the garden. The
young woman slowly enters shot, avoiding the guests who
stand about in groups. She goes out through the door and
into the garden.
Medium close-up of the hallway, seen from the ballroom. The
man walks in, looking extremely haughty and at his ease,

as though he had quite forgotten the disagreeable incident which has just taken place. Camera tracks before him as he strolls through the room, avoiding the clusters of guests who are standing about, still discussing the incident.

Long shot of the French windows leading to the garden. The man comes into shot and cautiously walks to the door. He stops there to check if anyone has seen him, then rushes out into the garden.

A garden path; night. The young woman is standing there, waiting by an urn on a pedestal. She walks away, then turns back, as her lover comes into shot and runs up to her, hungrily catching her by the shoulders. They disappear together down the gravel path between tall hedges.

Two long shots of the ballroom show, in the background, the French windows which lead to the garden. The guests are now going out into the garden to hear the concert. Some of them stand by the door waiting for the others.

Medium close-up of the conductor of the orchestra. The violinist stands next to him, holding the musical score at which the conductor is pointing with his baton. The violinist is a tiny priest (the same one who will later be frightened as he crosses a bridge). Sound of the orchestra tuning up.

[Some of the guests, seen from the orchestra's point of view, begin to fill up the rows of ladder-back chairs set out on the gravel.

The ballroom empties as the guests leave to listen to the orchestra.]

A statue in a dark corner of the garden, with two chairs just by the statue. The lovers come into shot, hugging each other passionately as they walk.

[Shots show the audience taking their places in the rows of chairs.

The lovers are seen struggling together on the gravel in front of the chairs.

The guests find seats in the garden. *(Still on page 40)*

The young woman rises, pulling up a chair which has been knocked over, while the man remains kneeling on the gravel. He tries to go on kissing her as best he can. He is so uncomfortable that he also gets up to take the chair beside

53

her.]¹

The conductor vaguely taps his music stand with his baton
and reads the score.

[The lovers are seen together and in individual close-up. They
bite at each other's fingers, then the man strokes the girl's
cheek with his fist, while she smiles ecstatically.]²

The conductor finishes tapping his music stand and raises his
baton. The audience is visible seated in the background
behind him.

The man prepares to bite the young woman's parted lips.
The conductor conducts the opening bars of the music from
the death scene in *Tristan and Isolde*.

At the very instant when the man is about to bite the young
woman's lips, the music starts. They jump apart and look
in the direction from where the music is coming. The music
from the opera plays throughout the film until the conductor leaves the orchestra.

Another shot of the lovers, their backs now turned to the
camera. The young woman has already recovered from her
surprise and, seeing that her lover's head is turned, she bends

---

¹ These two shots of the lovers seem to be oddly out of place in the
copy of *L'Age d'Or* in the British Film Institute. They seem to
belong to a later sequence, see page 55.

² The original screenplay included the following scene : ' Shot of the
lovers sitting very close together, their bodies almost touching. The
man draws the young woman even closer placing an arm around
her waist and holding her thigh with his other hand. She is very
excited and is trembling either with desire or cold. The man is
about to kiss her, but he stops when she speaks.

YOUNG WOMAN : I'm cold.

Still quivering with desire, he replies.

MAN : Pull the blanket higher.

She shivers again. Her tone changes as she whispers to him, pressing
her head closer to his.

YOUNG WOMAN : Switch off the light.

He hugs her convulsively and speaks, his lips almost pressed to hers.

MAN : No. Leave it on. I want to see you.

His parted lips are about to kiss hers. (During the shooting, the
various motions they make towards each other can be completed,
but during cutting all their kisses and caresses must be left un-
finished, interrupted at the moment of fulfilment.) '

down to nibble the back of his neck amorously. But at the
same moment, the man turns towards her and their two
heads bump together very painfully.
The lovers are seen from a different angle, facing the
camera. (From now on, they will both be in a state of nervous
agitation which will make all their gestures too hasty,
awkward and abrupt.) The man grabs the young woman by
the legs and pulls her over to him, still trying to kiss her.
Slightly more distant shot of the lovers. As the man pulls the
young woman closer, she loses her balance and falls out of her
chair. The man tries to catch her and falls down too. She is
now almost sitting on the ground, leaning back against the
chair, while he kneels on the gravel and continues trying to
kiss her as best he can. But their position is so uncomfortable
that they try to get onto the chairs again without letting go of
each other. All their movements are very fumbling, although
their basic intention remains very clear.
Close-up of the lovers. He is holding her hand in his hands,
avidly pecking at her lips. But, just as his lips are about to
touch hers, he draws away and begins staring at something
with tremendous concentration. He is facing the camera; her
back is almost turned to us. She asks him a question and he
replies vaguely, staring intensely at something which completely absorbs his attention.[1]
Close-up of the bare foot of the statue next to them. Its big
toe is in the foreground.
The girl looks round, then looks back at the man, begging
for an explanation. He hushes her, and goes on staring at the
marble foot.
[Large close-up of the bare foot of the statue, its big toe
prominent.]
Shot of a bridge across a lake in a formal garden. A priest is
crossing the bridge; then two more priests cross the bridge
after him. For a moment, the bridge remains empty, until a
fourth priest, the tiny one who plays the violin in the
orchestra, scurries onto the bridge and stops, half-way across;

---

[1] The original screenplay had the man say: ' Wait a moment.' To
this, the young woman replied: ' What's the matter? '

seen in close-up, he freezes like a startled rat, and looks petrified. In medium shot, he turns tail and rushes back in the direction from which he came.

The man slowly emerges from his peculiar trance, shakes his head, tenderly considers and strokes the young woman, then gives a helpless groan of despair. He puts his hand to his face, drops it again, picks her up in his arms, sets her down on the gravel, and falls beside her. The music grows louder.

Long shot of the orchestra seen from the back of the audience, so that the front rows of the listeners are included in the shot. This is followed by four shots of the musicians, including the conductor and the small priest, now playing the violin.

The lovers struggle together on the gravel.

Medium close-up, tilting slightly downwards, of the lovers, the young woman almost facing the camera. The man is nervously kissing her breasts, his lips climbing up her neck until his face is buried in her hair. She lowers her head voluptuously, half closing her eyes, then opening them again ecstatically.[1]

A servant arrives at the spot where the lovers are hiding. He remains impassive, but disapproving, when he sees what they are doing.

In another angle, the servant is seen from the back, with the lovers on the gravel in the background. Then he is seen in medium shot, as he announces drily.

SERVANT : His Excellency, the Minister of the Interior, wishes to speak to you on the telephone.

[Medium close-up of the lovers, frustrated and interrupted.] Without another word, the servant turns and leaves. The young woman rises to seat herself in her chair.

Close-up of the man, as he sits up, an expression of agonized resentment on his face.

The man pulls himself together as the servant walks off, looks despairingly at his mistress and leaves her, running towards camera.

---

[1] The original screenplay added : ' The man unbuttons her blouse with his free hand.'

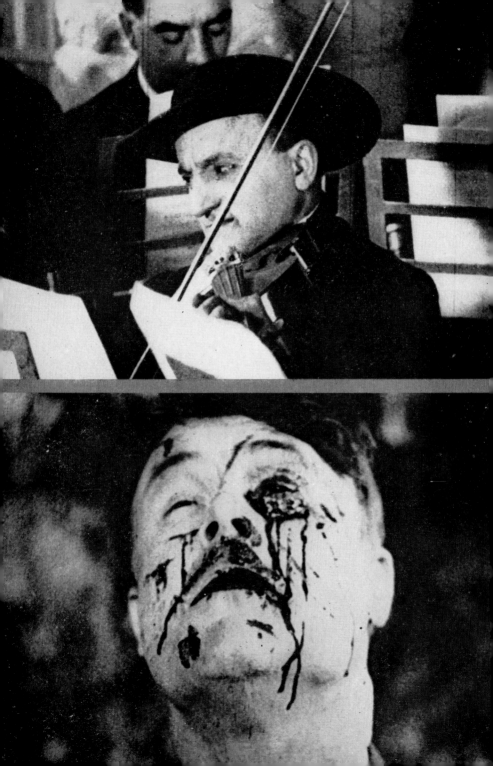

The young woman has sunk back onto a chair, sick with frustration. Her eyes are half-closed and she trembles with a desire which is constantly checked near the point of fulfilment. Shattered, almost in tears, she bends over the naked foot of the statue and, without noticing what she is doing, she begins sucking the big toe. *(Still on page 57)*
The conductor conducts the orchestra with passion.
Long shot of the guests listening to the music.
The young woman sucks the big marble toe with passion.
The conductor in the foreground, his back turned to camera, conducts the musicians in the background.
[A group shot of the orchestra playing.
The conductor waves his baton with passion.
Magnified close-up of the young woman's lips sucking at the big marble toe.
Shot from below of the imperturbable stone face of the Greek goddess, which is the statue.
The young woman sucks at the toe.
A group shot of the smart audience, listening with rapt attention.
The hosts and the important guests sit in the front row. The Marquise holds a handkerchief to her slapped cheek.
The conductor, seen from the back, conducts with passion.
Pan from the Marquise to her husband and onto other smart and immobile guests
Group shot of the audience, showing no emotion at all on hearing the surging music of *Tristan and Isolde*.] Fade out.
Fade in to medium shot of the Minister who handed the document to the man when he was appointed. The Minister is livid with rage and in a terrible state of agitation, as he speaks into the telephone on the desk in his office.
Medium shot of the man by the telephone in the Marquis's house. He picks up the receiver and holds it to his ear. He barks angrily into the mouthpiece, as though in a great hurry to finish the conversation.

MAN : Hello ! Hello !

When the Minister hears the man's voice on the telephone, his

61

lips start twitching compulsively with anger.

MINISTER : Is that you?

Rage prevents him from continuing. He finally manages to start talking, his voice breaking with indignation from time to time.
Cut back to a brief shot of the man, listening angrily.
Cut to four shots, probably taken from newsreels.

A THIN LINE OF POLICEMEN TRIES TO KEEP BACK A VAST CROWD, SEEN FROM ABOVE IN LONG SHOT.

THE SAME LINE OF POLICEMEN SEEN FROM ABOVE IN MEDIUM SHOT.

THROUGH AN ARCH FULL OF SMOKE AND FLAME, MEN, WOMEN AND CHILDREN FLEE, CARRYING THEIR BELONGINGS ON THEIR HEADS.

IN VERY LONG SHOT, A VAST CROWD RUNS ACROSS A GREAT EMPTY SQUARE.[1]

Over the newsreel shots, we hear the following angry conversation.

MINISTER'S VOICE : The country can be grateful to you for what you've done! You bastard! You are the only one to blame for what has happened, murderer. But you've compromised me as well, villain! Do you realize that there were no survivors among the children, and that many honourable old men, many innocent women died too . . .?

MAN'S VOICE, *full of concentrated fury* : And you disturb me just to tell me that? To hell with your brats!

---

[1] The original screenplay had instead of the newsreel shots:
' Shot of a great crowd of people rushing about hysterically. Men, carrying empty stretchers, run by; a sobbing woman, supported by another, staggers across the screen clutching a baby's dress.'
' Shot of a heap of children's shoes. A man, carrying a basket full of more children's shoes, comes into shot and throws his load onto the heap. He looks overcome with exhaustion and sorrow, yet goes on working and leaves to get another load immediately.'

MINISTER'S VOICE : Monster! Bastard! That isn't all. You've dragged me into this too. Thanks to you, I am dishonoured. Murderer!

MAN'S VOICE, *disgusted* : You can croak on the spot for all I care.

Cut back to the man, listening angrily into the telephone.

MINISTER'S VOICE, *now full of solemnity* : Then listen to my dying words . . .

The man hurls the receiver against the wall in a fury, smashing it. He runs out into the garden again to find his mistress.

MINISTER'S VOICE : Are you listening, murderer?

Cut back to the Minister, who realizes that the man has left the telephone and yells like a madman.

MINISTER : Monster.[1]

Close-up of the Minister's telephone. The receiver is now dangling from its cord. On the floor lies a revolver, still smoking, and a pair of shoes. Next to it, a little pool of blood is forming as more blood drips down from the ceiling into the pool. Camera pans up, then cut to show the Minister's corpse lying on the ceiling by a chandelier, blood trickling down from his forehead. Pan downwards from the corpse and fade out.
Dissolve to the young woman, leaning her head against the statue's foot, but no longer sucking its toe. *(Still on page 57)* She seems to be dreaming. She sees her lover. In medium shot, we see the man as he rushes back, throws himself in her arms and slides down to kneel on the ground before her.
Medium close-up of the man pressing his head against his mistress's breast and kissing her body, while she strokes his

---

[1] The original screenplay added:
' A pause. We hear the sound of a drawer being opened, a chair being pushed back, then a click, then a sob. Then the sound of a revolver being fired and of a body falling on the ground. Brief pause before the following images appear on the screen.'

hair. His face still pressed against her, he slides down until his head is by her knees. She throws her head back in a sensual gesture, as her lover takes her by the knees and parts her legs. Now that their bodies no longer touch, they look passionately into each other's eyes.

The man, facing camera, is still trying to part her legs with his hands as they look at one another. Suddenly, his expression changes from one of frenzied desire to one of bewilderment and tenderness. He closes her knees together. For a moment, the camera holds on him in this new attitude.

Cut to the young woman facing camera, her head slightly thrown back. Her expression of desire has also changed to one of love and tenderness.

Same shot of the young woman in the same position, but dissolve to her face, aged by twenty years. Her eyes are brimming with tears.

Cut to the man, seen from her angle. He is looking up at her with despair and anguish.

MAN : Are you sleepy?

Cut back to the young woman, who replies in a very remote voice, as if far away.

YOUNG WOMAN : I was about to fall asleep . . .

Cut back to the man, looking about him and asking.

MAN : Where's the light switch?

He gets up.
Return to the young woman, almost asleep and making a little movement.

YOUNG WOMAN : At the foot of the bed.

Dissolve to her again, restored to youth, but asleep.
Their manner has changed. They are both very tender. The man rises and pulls the young woman's dress over her knees. He gets up and sits down next to his mistress. Now that they no longer feel intense desire, they behave completely differently. She rests her head on his shoulder and seems almost asleep; her expression is serene and happy.

64

Various shots of the orchestra, including the priest violinist. *(Still on page 58)* The conductor is putting his whole heart and soul into conducting the music.
The audience sits still through the passionate music.
Cut back to the man and the young woman. The man is stroking her shoulder, when she speaks.

YOUNG WOMAN : You're hurting me with your elbow.

MAN : Move your head closer. The pillow is cooler on this side.

Close-up of the young woman lying on the man's chest.

YOUNG WOMAN : Where's your hand?

She takes his hand.

YOUNG WOMAN : [I feel good like that.] Stay there. Don't move.

Return to a shot of both of them. Their silence is intense, passionate. The man whispers something to the young woman as she lies on his chest.
[The conductor takes the music up to a crescendo.]
Cut back to the young woman, shivering on the man's chest.

MAN : Are you cold?

YOUNG WOMAN : No, I was falling down.

MAN : Go to sleep!

Various shots of the orchestra, playing the death scene of *Tristan and Isolde*.[1]
Close-up of the lovers quietly sitting together. [Suddenly the young woman is carried away by ecstacy.

YOUNG WOMAN, *passionately* : I've waited for you for so long. What joy! What joy! To have murdered our children!]
Close-up of the man, his face now covered with blood,

---

[1] The original screenplay added this note : ' The orchestra must constantly repeat this part of the musical score, in case the previous love scene takes on more importance than the shots used to show the playing of *Tristan and Isolde*.'

groaning. *(Still on page 58)*

MAN : My love ! My love ! My love !

[The girl looks up at him, still ecstatic.]
Return to the man's bloody face.

MAN : My love ! My love !

Cut to the conductor, his back to the camera, with the
orchestra beyond him and seen from above. He conducts
with tremendous passion. Then he suddenly hurls away his
baton, bursts into tears, and puts his hands over his head. He
walks away.
Shot of the spectators, who are sitting on either side of the
central aisle, their backs turned to the camera. We see the
conductor leave his place and go slowly along the aisle
towards camera, hiding his head in his hands.
Shot from above of the astonished guests. Some of them get
up; all look around to stare after the conductor, as he goes
down the aisle and walks off, seen from high angle.
In a reverse angle, we see the conductor walk past the urn
on the pedestal and down the path between the hedges where
the lovers first met each other in the garden. He still holds his
hands to his head. The sound of his footsteps on the gravel
is very loud in the silence, now that the orchestra has stopped
playing *Tristan and Isolde.*
[Cut to the lovers in medium close-up, facing camera. They
sit, holding each other. The man softly strokes the girl's arm.]
Long shot of the conductor in the background and the lovers
in the foreground, their backs turned to camera.
[Repeat the shot of the lovers holding each other.
A reverse long shot shows the lovers in the background looking
up at the conductor walking away from camera towards
them.]
The conductor, seen from the young woman's point of view,
goes up to the lovers and stands very close to them, still
sobbing and holding his head.
[The young woman looks up, fascinated, as her lover still
holds her tenderly. She bites at her own fingers and rises to
run forwards.]

66

The young woman, extremely agitated, throws herself in the conductor's arms and presses her head against his chest. *(Still on page 59)* In medium close-up, he takes her head in one hand, still holding his own head in the other.

[The man, still seated, stares forward in a daze.

The young woman continues to clutch and caress the aged conductor. She turns up her face. They kiss. Close-up from the side of them kissing.]

The seated lover watches this scene, clenching his teeth and almost mad with fury.

From his angle, we see the young woman kissing the conductor.

The seated lover makes up his mind to throw himself on the conductor, but as he jumps up he hits his head terribly hard against an overhanging branch. His hands fly to his face as he reels with pain and despair. [A very loud tattoo is beaten on drums and is heard until the end of the sequence.]

Medium shot of the man staggering from the knock he has just received, so dazed that he still tries to look towards the scene. Hardly conscious of what he is doing, he limps away, tripping and staggering, his hands pressed to his forehead and his head thrown back in the same manner as the conductor when he arrived down the garden path. The man walks off.

Seen in long shot and reverse angle long shot, the man goes off towards the right and passes the conductor and the young woman. He does not look at them, but disappears down the garden path.

Walking along the garden path by the urn the man advances towards camera, walking very rapidly, his hands pressed to his head in the same way as the conductor. Fade out.

Fade in to the inside of the young woman's bedroom door. It opens and the man appears, his hands pressed to his forehead, an expression of mad rage on his face. He seems to be in great pain from the blow. He closes the door behind him. Dissolve to close-up of the man's hands and the middle of his body, as he advances towards camera until he is so close that the image is blurred.

Shot of the bed in the background, as the man throws

himself onto it, writhing and sobbing with rage. [The drumming stops, the music of *Tristan and Isolde* plays softly.] The man looks about him desperately, then plunges his face into a pillow. Cut to close-up of the man shaking and weeping with fury, his head buried in the pillow, tearing another pillow to bits and pulling out handfuls of feathers. [The drumming begins again.] Now the man rises like a wild beast in a cage, grasping great handfuls of feathers. [Pan with him as he moves over to the door. He picks up the bust of a Roman senator. Pan back with him as he returns towards the bed, dropping and breaking the marble bust on the way.] Long shot of the room, seen from another angle, so that we can see the man striding about aimlessly, like a caged animal. [His hands are full of feathers. He goes to a corner of the room and picks up a large wooden plough. In medium close-up, he is seen with the plough in his hands. *(Still on page 59)* Return to previous shot as he drops the plough and goes over to the window.]

The man stops for a moment, his attention drawn to the window. He dashes over to it as though it represented a solution, and roughly pulls the window open.

Sideways shot, tilting slightly upwards, of the window seen from the outside. [Cut back briefly to the man as he turns away from the window.]

Cut back to the exterior of the window. There is a long pause. Suddenly, a whole pine-tree on fire emerges from the window. It falls, blazing. Cut to close-up of the window, out of which the man throws a live archbishop.[1]

[New shot from below of the plough flung from the window. Close-up of the window, as the man throws out the archbishop's crook.

Reverse angle shot from the window. The fallen objects are lying on the ground by the burning tree. The archbishop gets to his feet and flees.]

Shot of the window as a stuffed giraffe is pushed out until

---

[1] Despite the shots with the archbishop and his crook being thrown out by the man, the original screenplay stated: 'We must not see the man as he throws the various items out.'

it too finally falls over the edge.

Quick tilt of the giraffe falling in front of the façade of the building.

Very steep tilt down of the giraffe falling into the sea far below.

Return to a shot of the window.

Close-up of the man's hands letting go of feathers. They fall onto a pile of feathers just below the window. Tilt down into a very big close-up of the feathers.[1]

Dissolve to identical camera angle and frame, but now of snow. Camera pans upwards to reveal a huge, very steep mountain covered with snow. A medieval castle looms threateningly on the edge of a precipice.

Dissolve to long shot of the castle. [Loud sound of drumming.]

TITLE: AT THE EXACT MOMENT WHEN THESE FEATHERS, TORN OUT BY HIS FURIOUS HANDS, COVERED THE GROUND BELOW THE WINDOW, AT THAT MOMENT, AS WE SAID, BUT VERY FAR AWAY, THE SURVIVORS OF THE CHATEAU DE SELLINY WERE COMING OUT, TO GO BACK TO PARIS.

Cut back to the big close-up of the feathers.

TITLE: FOUR WELL-KNOWN AND UTTER SCOUNDRELS HAD LOCKED THEMSELVES UP IN AN IMPREGNABLE CASTLE FOR ONE HUNDRED AND TWENTY DAYS TO CELEBRATE THE MOST BRUTAL OF ORGIES. THESE FIENDS HAD NO LAW BUT THEIR DEPRAVITY.[2] THEY WERE LIBERTINES WHO HAD NO GOD, NO PRINCIPLES, AND NO RELIGION. THE LEAST CRIMINAL AMONG THEM WAS DEFILED BY MORE EVIL THAN YOU CAN NAME. IN HIS EYES, THE LIFE OF A WOMAN

---

[1] The original screenplay added the title: '*THE FEATHERS GO ON FALLING.*'

[2] The original screenplay added: '*NO GOD EXCEPT THEIR LUBRICITY, NO BRAKE BUT THEIR DEBAUCHERY.*'

—WHAT AM I SAYING, OF ONE WOMAN, OF ALL THE WOMEN IN THE WORLD—COUNTS FOR AS LITTLE AS A FLY'S. THEY TOOK WITH THEM TO THE CHATEAU, SOLELY FOR THEIR DISGUSTING DESIGN, EIGHT MARVELLOUS GIRLS, EIGHT SPLENDID ADOLESCENTS. AND SO THAT THEIR IMAGINATION (ALREADY TOO JADED) SHOULD BE CONTINUALLY STIMULATED, THEY ALSO TOOK ALONG FOUR DEPRAVED WOMEN WHO CONSTANTLY FIRED THE EVIL LUST OF THE FOUR MONSTERS BY THEIR TALES.

Long shot of the chateau.

TITLE: HERE, NOW LEAVING THE CHATEAU DE SELLINY, ARE THE SURVIVORS OF THESE CRIMINAL ORGIES. THE LEADER AND CHIEF INSTIGATOR OF THE FOUR: THE DUKE OF BLANGIS.

[Dissolve to a close-up of the chain of the drawbridge.] Beyond, the castle doors open very slowly as though their rusty hinges made them hard to open. The ringletted head of a man appears. He wears a beard and a moustache, and is dressed like a Hebrew of the first century, A.D., [evidently Jesus. His hands are clasped to his robe.]

A slightly longer shot reveals the Duke of Blangis on the snowy drawbridge. His eyes are half-closed from the dungeon, and he seems dazzled by the glare from the snow. He looks behind him to see if anyone is following and then moves forward. [He makes a gesture of blessing, then clasps his hands together in prayer.

Reverse angle shot of the Duke walking towards the snowy rocks.

Shot of the doors of the castle. Two of the Duke's fellow orgiasts come through them. They are dressed like gentlemen of the eighteenth century, and they hobble along, absolutely exhausted and supported on staffs.][1] *(Still on page 60)* Medium shot of the Duke standing by a snow-covered rock. *(Still on page 60)* He seems to be waiting for someone before

setting off. The two others come into shot and, without saying a word, stand by him to wait for the one who is missing.
[On the drawbridge, the last of the orgiasts appears. He is fat and limping on a crutch. In reverse angle, we see him join the others.][2]
A little girl, about thirteen years old, appears on the threshold, terrified, dressed in a long white dress. She is clutching at her breast with a blood-stained hand. She falls, exhausted, on the threshold. The Duke of Blangis slowly recrosses the drawbridge, picks up the girl tenderly, and assists her back into the castle. There is a close-up of the drawbridge chain and the open castle door. For a brief while, nothing happens. Then, we hear a terrible shriek coming from inside the castle. After a few seconds, the same character, impassive, comes out to join the others, thus leaving the shot.[3]
The three orgiasts walk away from camera into the snowy rocks, [while the Duke of Blangis advances, tragic piety in his face.]
Dissolve to shot of a snow-covered cross with the scalps of many women, white with snow, hanging from it and blowing fiercely in the wind. Fade out.

END

---

[1] The original screenplay added the following title:
' *PRESIDENT CURVAL AND FINANCIER DURCET. THEY COME OUT ONE AFTER THE OTHER, THE FIRST IN ORIENTAL DRESS OF THE FOURTH CENTURY B.C., THE SECOND DRESSED LIKE AN ORDINARY ARAB OF THE SIXTH CENTURY A.D.'*

[2] The original screenplay added the following title:
' *THE LAST ONE OF THE FOUR, THE BISHOP OF K., COMES OUT LIMPING, DRESSED LIKE A SIXTEENTH CENTURY PRIEST.'*

[3] The original screenplay had this sequence, slightly adapted, as a title.

71

UN CHIEN ANDALOU

JEAN VIGO
ON
' UN CHIEN ANDALOU '

Un Chien Andalou, though primarily a subjective drama
fashioned into a poem, is none the less, in my opinion, a film
of social consciousness.

Un Chien Andalou is a masterwork from every aspect : its
certainty of direction, its brilliance of lighting, its perfect
amalgam of visual and ideological associations, its sustained
dreamlike logic, its admirable confrontation between the
subconscious and the rational.

Considered in terms of social consciousness, *Un Chien
Andalou* is both precise and courageous.

Incidentally I would like to make the point that it belongs
to an extremely rare class of film.

I have met M. Luis Buñuel only once and then only for ten
minutes, and our meeting in no way touched upon *Un Chien
Andalou.* This enables me to discuss it with that much greater
liberty. Obviously my comments are entirely personal.
Possibly I will get near the truth, without doubt I will
commit some howlers.

In order to understand the significance of the film's title it is
essential to remember that M. Buñuel is Spanish.

An Andalusian dog howls — who then is dead?

Our cowardice, which leads us to accept so many of the
horrors that we, as a species, commit, is dearly put to the test
when we flinch from the screen image of a woman's eye
sliced in half by a razor. Is it more dreadful than the spectacle
of a cloud veiling a full moon?

Such is the prologue: it leaves us with no alternative but to
admit that we will be committed, that in this film we will

75

have to view with something more than the everyday eye.

Throughout the film we are held in the same grip.

From the first sequence we discern, beneath the
image of an overgrown child riding up the street without
touching the handlebars, hands on his thighs, covered with
white frills like so many wings, we discern, I repeat, our truth
which turns to cowardice in contact with the world which we
accept, (one gets the world one deserves), this world of
inflated prejudices, of betrayals of one's inner self, of
pathetically romanticised regrets.

M. Buñuel is a fine marksman who disdains the stab in the
back.

A kick in the pants to macabre ceremonies, to those last
rites for a being no longer there, who has become no more
than a dust-filled hollow down the centre of the bed.

A kick in the pants to those who have sullied love by resorting
to rape.

A kick in the pants to sadism, of which buffoonery is its most
disguised form.

And let us pluck a little at the reins of morality with which
we harness ourselves.

Let's see a bit of what is at the end.

A cork, here is a weighty argument.

A melon — the disinherited middle classes.

Two priests — alas for Christ !

Two grand pianos, stuffed with corpses and excrement — our
pathetic sentimentality !

Finally, the donkey in close-up. We were expecting it.

M. Buñuel is terrible.

Shame on those who kill in youth what they themselves
would have become, who seek in the forests and along the

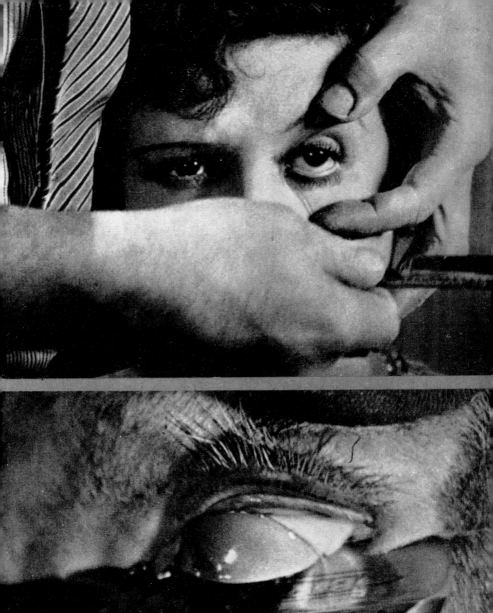
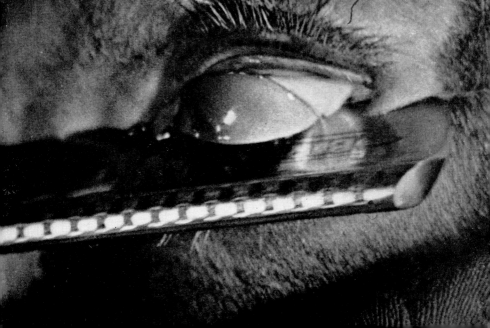

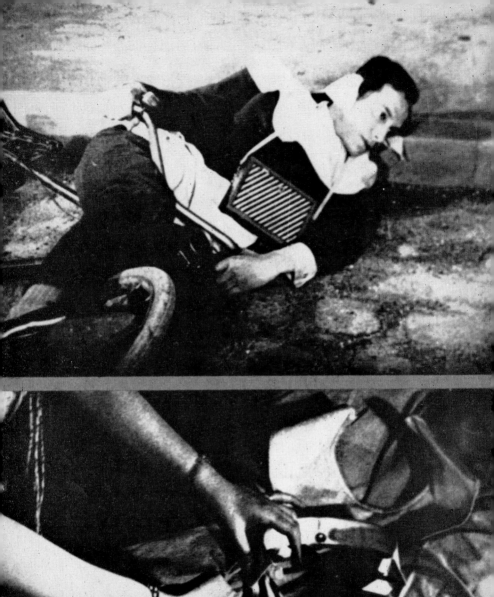
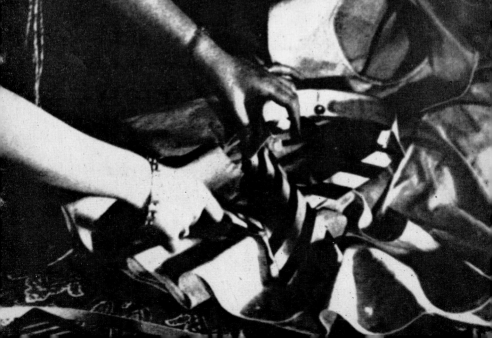

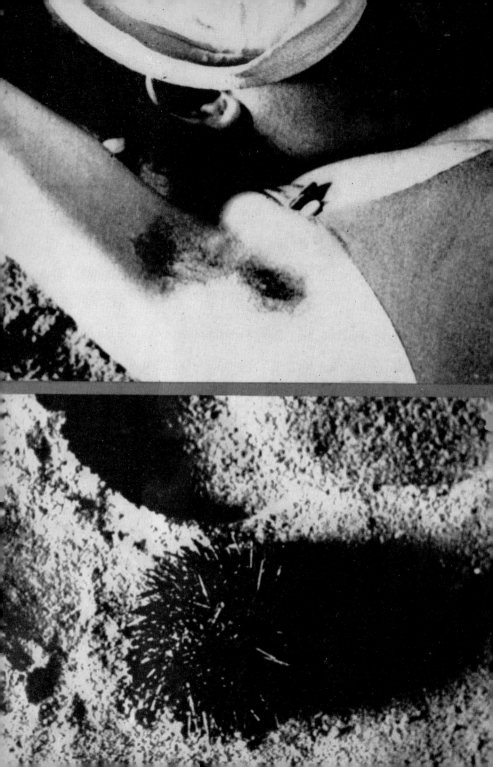

beaches, where the sea casts up our memories and regrets, the dried-up projection of their first blossoming.
Cave canem . . .

Beware of the dog — it bites.

All this written in an attempt to avoid too arid an analysis, image by image, in any case impossible in a good film whose savage poetry exacts respect — and with the sole aim of creating the desire to see or see again *Un Chien Andalou*. To cultivate a socially aware cinema is to ensure a cinema which deals with subjects which provoke interest, of subjects which cut ice . . .

JEAN VIGO in ' *Vers un cinéma social*,' 1930

CYRIL CONNOLLY
ON
' UN CHIEN ANDALOU '

The picture was received with shouts and boos and when a pale young man tried to make a speech, hats and sticks were flung at the screen. In one corner a woman was chanting, ' Salopes, salopes, salopes! ' and soon the audience began to join in. With the impression of having witnessed some infinitely ancient horror, Saturn swallowing his sons, we made our way out into the cold of February, 1929, that unique and dazzling cold . . .

Why does this strong impression still persist? Because *Un Chien Andalou* brought out the grandeur of the conflict inherent in romantic love, the truth that the heart is made to be broken, and after it has mended, to be broken again. For romantic love, the supreme intoxication of which we are capable, is more than an intensifying of life; it is a defiance of it and belongs to those evasions of reality through excessive stimulus which Spinoza called ' titivations.' By the law of diminishing returns our desperate century forfeits the chance of being happy and, because it finds happiness insipid, our world is regressing to chaos.

Why? Because, as in the days of the Delphic Oracle, happiness consists in temperance and self-knowledge, and these are now beyond the reach of ordinary people who, owing to the pursuit of violent sensation, can no longer distinguish between pleasure and pain.

> extract from Cyril Connolly's
> *The Unquiet Grave,* written under
> the pseudonym of ' Palinurus '.

CREDITS

Produced by	Luis Buñuel
Script by	Luis Buñuel and Salvador Dali
Directed by	Luis Buñuel
Photographed by	Albert Dubergen
Edited by	Luis Buñuel
Décor	Schilzneck
Process	Black and white, silent[1]
Time	17 minutes
Length	430 metres
First shown in Paris	1928 at the Ursulines Film Studio

CAST

The young man	Simone Mareuil
The man	Pierre Batcheff
Others	Jaime Miravilles, Salvador Dali, Luis Buñuel

---

[1] The film was originally silent, but a sound track was added under Buñuel's supervision in 1960. It was based on the records played at the first performance. The music is by Beethoven and Wagner, with extracts from a tango.

UN CHIEN ANDALOU

Original Shooting Script
by Luis Buñuel and Salvador Dali

ONCE UPON A TIME . . .

A balcony. Night. A man is sharpening a razor by the balcony.
The man looks through a window at the sky and sees . . .
A light cloud passing across the face of the full moon.
Then the head of a young woman with wide-open eyes. The
blade of the razor moves towards one of her eyes.
The light cloud now moves across the face of the moon. The
razor-blade slices the eye of the young woman, dividing it.

EIGHT YEARS LATER

A deserted road. It is raining.
A man, dressed in a dark-grey suit and riding a bicycle,
appears. The man's head, back and waist are decked in
white frills. A rectangular box with black-and-white diagonal
stripes hangs from a thong on his chest. The man's feet pedal
automatically and he is not holding the handlebars : his
hands are resting on his knees. Medium shot of him seen
from behind, then shot of him superimposed on shot of the
street, down which he is cycling with his back to camera.
He cycles towards camera until the striped box fills the
screen.
A room on the third floor of a building overlooking the street.
A young woman in a brightly-coloured dress is sitting in the
centre of the room; she is absorbed in reading a book. She
gives a start, listens for something and throws the book
onto a nearby couch. The book remains opened on a reproduction of Vermeer's ' The Lace-Maker.' The young woman
is now convinced that something interesting is taking place;
she gets up, half-turns and walks quickly over to the window.
The cyclist has just stopped, below in the street. Out of
sheer inertia, without trying to keep his balance, he topples

85

over into the muddy gutter.

The young woman, looking resentful and outraged, dashes out of the room and down the stairs.

Close-up of the cyclist lying on the ground, expressionless, in exactly the same position as when he fell.

The young woman runs out of the house towards him and throws herself on him to kiss him passionately on the lips, the eyes and the nose.

It is now raining so hard that the rain blots out what is happening on screen.

Dissolve to the box : its diagonal stripes are superimposed on the diagonal lines of falling rain. Hands holding a little key open the box and pull out a tie wrapped in striped tissue paper.

The rain, the box, the tissue paper, and the tie make up a pattern of diagonal stripes of varying sizes.

The same room.

The young woman is standing by the bed, looking at the various items worn by the cyclist — frilly cuffs, box, starched collar and plain black tie. All these things are laid out on the bed as though they were being worn by someone lying on the bed. The young woman finally decides to reach out and she picks up the collar, removes the plain tie from it, and puts in its place the striped tie which she has just taken out of the box. She then puts the collar back where it was and sits down by the bed like someone at a vigil. The blanket and pillow on the bed are slightly rumpled as though a body really was lying there.

The young woman seems to be aware of someone standing behind her and she turns to see who it is. Without showing any surprise, she sees that it is the same man, no longer wearing any of the items that are laid out on the bed. He is looking at something on his right palm with great concentration and some distress.

The young woman goes over to him and also looks at what he has in his hand.

Close-up of the hand full of ants crawling out of a black hole in the palm. None of the ants fall off.

Dissolve to the hairs on the armpit of a young woman who is

86

lying on a beach in the sunshine. Dissolve to the undulating spines of a sea-urchin. Dissolve to the head of a girl seen directly from above. This shot is taken as though through the iris of an eye : the iris opens to reveal a group of people standing around the girl and trying to push their way through a police barrier.

In the middle of the circle, the young girl is using a stick to try and pick up a severed hand with painted fingernails which is lying on the ground. A policeman goes up to her and begins rebuking her. He leans down, picks up the hand, wraps it up carefully and puts it inside the striped box which had been hanging round the cyclist's neck. He hands the box over to the girl; she thanks him and he salutes.

As the policeman gives her the box, she seems to be completely carried away by a strange emotion and is oblivious of every-thing that is going on around her. It is as though she were listening to some distant religious music, perhaps music she heard when she was a child.

The crowd's curiosity has died down. People are moving off in all directions.

The couple has been looking at the scene from behind the window on the third floor all this time. We can see them through the window, from which we too have been watching the end of the scene. When the policeman gives the box to the young girl, the two people in the room also seem over-whelmed with the same emotion. They nod as though in rhythm to that distant music which only the young girl can hear.

The man looks at the young woman and makes a gesture as though to say, ' You see? Didn't I tell you? '

She looks down at the street again, where the young girl, all alone now, stands as if rooted to the spot, incapable of moving, as cars drive past her at great speed. Suddenly one of the cars runs her over and leaves her lying in the street, horribly mangled.

The man, with the determination of someone who feels sure of his rights, goes over to the young woman and, after staring at her lustfully with rolling eyes, grabs her breasts through her dress.

Close-up of the man's hands fondling the breasts which appear through the dress. The man's face has a terrible look, almost of mortal anguish, and a stream of blood-flecked saliva begins to run out of the corner of his mouth onto the naked breasts. The breasts disappear to become a pair of thighs which the man kneads.

His expression has changed. His eyes now shine with cruelty and lust. His mouth, which was wide open, now puckers up like an anus.

The young woman moves back towards the centre of the room, followed by the man, still in the same state.

She suddenly breaks his hold on her and escapes from his grasp.

The man's mouth tightens with anger. The young woman realizes that a really disagreeable and violent scene is about to take place.

She inches away until she reaches a corner of the room where she crouches behind a little table.

The man, now looking like the villain in a melodrama, looks around, trying to find something. He sees a piece of rope lying on the floor and picks it up with his right hand. He then gropes about with his left hand and picks up another identical piece of rope.

The young woman, glued to the wall, looks with horror at what he is doing.

The man begins advancing towards her, pulling at the rope and making a great effort to drag whatever is attached to the ropes.

First we see a cork, then a melon, then two Catholic priests, then finally, two magnificent grand pianos containing the carcasses of two donkeys. Their feet, tails, rumps and excrement are spilling out of the lids. As one of the grand pianos is pulled past the camera, we can see the big head of one of the donkeys hanging down over the keyboard.

The man pulls at this with great difficulty, straining desperately towards the young woman, knocking over chairs, tables, a standing lamp and other objects in his path. The rumps of the donkeys get caught in everything. A stripped bone hits the light hanging from the ceiling, so that it rocks from side to side until the end of the scene.

When the man is just about to reach the young woman, she rushes out of the room. Her attacker lets go of the ropes and hurls himself after her. The young woman manages to get out of the room into the next one, but not quickly enough to slam the door shut. The man's hand is trapped in the door, caught in the jamb.

In the other room, the young woman pulls harder and harder at the door, watching the fingers of the hand moving painfully and slowly as the ants begin crawling out of the palm onto the door. The young woman turns away to look at the room, which is identical to the previous one except that different lighting gives it a different appearance : the young woman . . .

The same bed is there, with the same man lying on it, the one who has still got his hand in the door. He is wearing the frills and the box lies on his chest. He does not move at all, but stares with wide-open eyes which seem to be saying, ' Something really extraordinary is just about to happen ! '

AT THREE O'CLOCK IN THE MORNING

A stranger, seen from the back, is stopping on the landing outside the apartment. He rings the bell. Unlike in other silent films of the period, we do not see the actual electric bell ringing inside the room. Instead, we see two hands shaking a silver cocktail shaker through two holes cut in the door, immediately after the doorbell has been rung.

The man lying on the bed in the room gives a start. The young woman goes to open the door.

The stranger goes directly over to the bed and commands the man lying down to get up. The man is so reluctant to do this that the stranger is obliged to grab his cuffs and force him to rise.

The newcomer tears off the man's frills one by one and hurls them out of the window along with the striped box and the thong which the man tries vainly to save from the catastrophe. He then orders the man to go and stand against one of the walls of the room as a punishment.

The stranger has done all this with his back to the camera. Only now does he turn around for the first time to go and fetch something in another part of the room.

At that instant, the shot goes out of focus. The stranger moves in slow motion and we see that his features are identical to those of the first man. They are the same person, except that the stranger is younger, more full of pathos, rather like the man must have been many years earlier.

SIXTEEN YEARS BEFORE

The stranger walks across the room, while the camera tracks back to reveal him in medium close-up. He is walking towards an old school desk which now comes into shot. There are various school things lying about on the desk, including two books. The placing of the objects must have a clear and symbolic meaning.

The stranger picks up the books and turns to go back towards the man. In that instant, the shot ceases to be out of focus and in slow motion, and goes back to normal.

When the stranger reaches the spot where the other man is standing, he orders him to stretch out his arms in the shape of a cross and places a book in each of the man's hands, ordering him to keep this position as a punishment.

The man looks vicious and treacherous as he turns to face the stranger. The books he is holding begin to change into two revolvers.

The stranger looks at the man with an expression of ever-increasing tenderness.

The man threatens the stranger with his guns, forcing him to put his hands up. In spite of this, the first man fires both revolvers.

Medium close-up of the stranger falling to the ground, mortally wounded, an expression of pain contorting his features (the photography is once again out of focus and in even slower motion).

In the distance, we see the wounded man, no longer inside the room, but in a park. By him sits a woman with bare shoulders, her back turned to the camera, leaning slightly forward.

As he falls, the wounded man tries to grasp and stroke the woman's bare shoulders; one of his trembling hands is turned inwards, while the other lightly claws at the bare skin. The man finally falls to the ground.

Long shot : a few passers-by and a policeman rush over to the man, pick him up and carry him off through the woods, just as a lame man comes into shot.

Cut back to the same room. The door in which the man's hand was caught now opens slowly. The young woman appears. She closes the door behind her and carefully examines the wall against which the murderer was just standing.

The man is no longer there. The wall is blank; there is no furniture nor decoration on it. The young woman makes a gesture of annoyance and impatience.

Shot of the wall again. There is a small black spot in the middle of it.

This little spot, seen closer in, is a death's head moth. Close-up of the moth, large close-up of the death's head on its back. The death's head covers the whole screen.

Medium close-up of the man who was wearing the frills. He suddenly claps his hand to his mouth as though his teeth were falling out. The young woman looks at him disdainfully. When the man takes his hand away, we see his mouth has disappeared. The young woman seems to say to him, ' Well, and afterwards? ' Then she redoes her lips with her lipstick. On the man's face, hairs are growing in the place where his mouth used to be. When the young woman notices, she stifles a cry and quickly looks at her armpit which is completely hairless. She scornfully thrusts out her tongue at the man, throws a shawl over her shoulders and opens the door. She walks out of the door into the next room which is a vast beach.

A man is waiting by the edge of the sea. This man and the young woman seem happy to see each other; they wander off together down the beach, following the waterline.

Shot of their legs and the waves at their feet.

Camera tracks after the couple. The waves gently wash up

the thong, the striped box, the frills and, last of all, the bicycle. Camera remains fixed for a while, even though nothing more is being washed ashore.

The two people wander down the beach, gradually fading from view as the following words appear in the sky :

IN THE SPRING

Everything has changed. We now see a limitless desert; the man and the young woman are in the centre of the screen, buried up to their chests in sand, blinded, in rags, being eaten alive by the sun and by swarms of insects.

UN CHIEN ANDALOU

Final Screen Version
by Luis Buñuel

After the credits, the following words, printed in white, appear
on a black screen:

ONCE UPON A TIME

Very large close-up of two hands sharpening a razor. On the
left arm, a man's wristwatch.
Close-up of a man's head. (It is Luis Buñuel.) His eyes are
lowered and a cigarette hangs from his lips. From the
almost imperceptible flicker of his eyelids, he appears to be
the man who is sharpening the razor. A vague glow is coming
from the window just behind him. He is in his shirt sleeves;
his striped, collarless shirt is open at the neck.
Cut back to a shot of hands sharpening the razor. The handle
of a French window can be seen in the background. The man
runs his thumbnail along the edge of the blade to test its
sharpness. Slightly different angle of the man in medium
close-up; the cigarette still dangles from his lips. Cut to
medium shot of the man standing in front of the French
window. He opens it and steps out onto the balcony. Cut
to him as he steps out and leans on the railing to look up at
the sky. Cut again to him, seen in medium close-up, looking
up at the moon.
The next shot is of a night sky lit by a full moon in the
left hand corner of the frame. A very thin cloud is moving
towards the moon. Cut back to medium close-up of the man
thoughtfully looking at the sky and smoking.
Dissolve to close-up of a young woman's face. A hand opens
her left eye with thumb and index finger. Another hand,
holding the razor, comes into shot. We can make out the
man's striped shirt, as well as the striped tie he now wears.
(Still on page 77)
Shot of the sky: the cloud passes across the full moon, as

though bisecting it. Very large close-up of the razor slicing
the eye lengthwise. Matter runs out of the eye onto its
lower lid. *(Still on page 77)*
Cut to the following title :

EIGHT YEARS LATER

Long shot of a deserted road with high buildings on either
side and an arch over the road. The sun is shining.
A young man appears on screen, riding a bicycle. Back view
of him disappearing down the street.
Cut to reverse angle shot of the cyclist approaching along the
street. Dissolve to medium close-up of the cyclist coming
towards camera, which tracks backwards. He wears white
frilly cuffs, a cap with white wings, a collar and a frilly skirt
over his dark suit. Round his neck hangs a striped box on a
thong. *(Still on page 78)*
Cut to the street which is empty.
Camera tracks forward along the street. Cut to the man on
his bicycle. Cut back to the empty street — but now there are
six people strolling in the distance. A shot of the cyclist seen
from the back appears on the screen, superimposed over the
shot of the empty street (because of the exceptional brightness
of this shot, the double-exposure shows that the cyclist's white
frills are disproportionately large and not in scale with the
shot on which they are superimposed). Cut back to medium
shot of the cyclist as he advances towards camera. Dissolve to
a close-up of the box hanging around his neck. The lid of the
box, which faces forwards, has black and white diagonal
stripes running across it. Fade out.
Long shot of the interior of a room : a young woman is
sitting in the middle of the room, next to a table. She is reading a book. The camera moves slightly towards her. Dissolve to
medium shot of her, seen from the front, as she lifts her head
in sudden amazement.
Cut to the street outside. The cyclist, seen from the side, is
peddling down the street.
Cut back to the young woman, now very distressed and listening for something. She gives a start, slams the book shut and

94

tosses it onto the table. Cut to a quick close-up of the book which, as it falls, opens on a reproduction of Vermeer's portrait, ' The Lace-Maker.'

Cut back to medium close-up of the young woman. She gets up and goes off right. Cut to her entering right as she goes over to the window. She parts the curtains and looks down into the street and draws back. We now see that the pattern of her dress is identical to the one worn by the young woman whose eye was cut in half. It is the same person.

Tilt down onto street : the cyclist is going past a street lamp. Cut back to medium close-up of the young woman as she parts the curtains to get a better view. She gives another start and jumps back.

New tilt down onto the cyclist who stops abruptly and falls, still astride his bicycle, onto the pavement.

Quick shot of the young woman in medium close-up as she stands slightly back from the window. She seems worried and annoyed by something as she looks out of the window, her hands clenched. Quick shot, tilting downwards, of the cyclist lying on the ground where he has fallen astride his bicycle.

Cut back to the young woman; she seems to be muttering something to herself, enraged by what she has just seen. In a long shot, she turns away from the window and walks round a bed with an iron bed-head. Pan with her, then cut to her in medium close-up, as she goes over to the door and opens it.

Medium close-up of the cyclist as he lies in the gutter. He does not move; his head, with eyes still open, is propped up on the kerb. *(Still on page 79)*

Cut back to the young woman opening the door and beginning to do down a flight of stairs.

Close-up of the cyclist lying back : he moves his head slightly. One of the bicycle wheels is still turning aimlessly in a corner of the frame.

Shot of the front door of the building. The door bursts open and the young woman comes running out. She pauses, looks at the cyclist, then rushes over to him. The camera tilts slightly down in a new shot, as she kneels by his side, takes his face in her hands and kisses him passionately several times.

95

Dissolve in double-exposure to the striped lid of the box. Close-up of a woman's hand, wearing a ring, unlocking the box with a key and pulling out a package wrapped in striped tissue paper. Cut to the young woman, now discovered back in her room, as she picks up a man's stiff collar from the bed on which the striped box is set. From the collar, she takes a plain tie, unwraps the package to reveal another tie with heavy stripes, and replaces the second tie in the collar. On the bed are also laid the frilly cuffs worn by the cyclist.
(Still on page 79)

Pan along the bed, ending on the young woman, as she walks round the bed to sit down. Quick shot from above of the bed with the frilly cuffs, striped box, stiff collar and striped tie laid out as if an invisible man were wearing them. Jump cut to the same shot, but now the striped tie is knotted into place on the collar. Cut back to medium close-up of the young woman; she seems thoughtful and a little weary as she looks at the bed. Quick shot of the bed, then cut back to close-up of her face as she lifts her head and turns to look off.

At the other end of the room, the cyclist in his dark suit is holding up his left hand at eye-level and examining his palm anxiously.

Quick close-up of the cyclist's hand : the palm is crawling with live ants.

Cut back to the cyclist still staring at his hand.

Cut back to medium close-up of the young woman getting up from her chair, and cut again to show her going over to where the man is standing. Medium close-up of the two of them, standing together as she looks inside his hand. A second magnified close-up of the palm crawling with ants, which come from an apparent dark hole in the centre of the man's palm. Cut back to the two people; the young woman now looks very alarmed.

The man pays no attention to her and continues to stare at his hand in fascination. He finally turns his head towards her and looks at her briefly, as though waking up from a dream.

Large close-up of the hand full of ants.

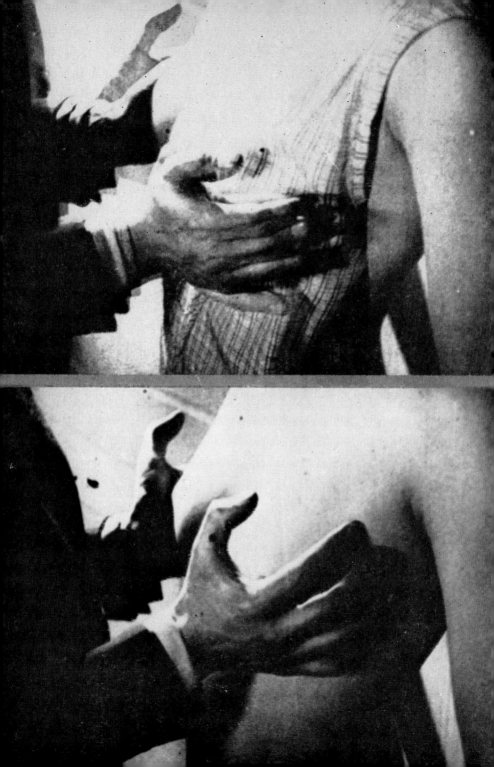

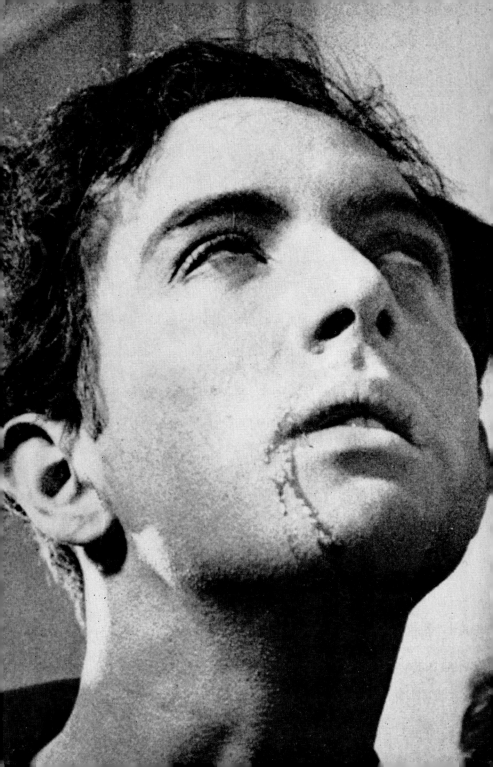

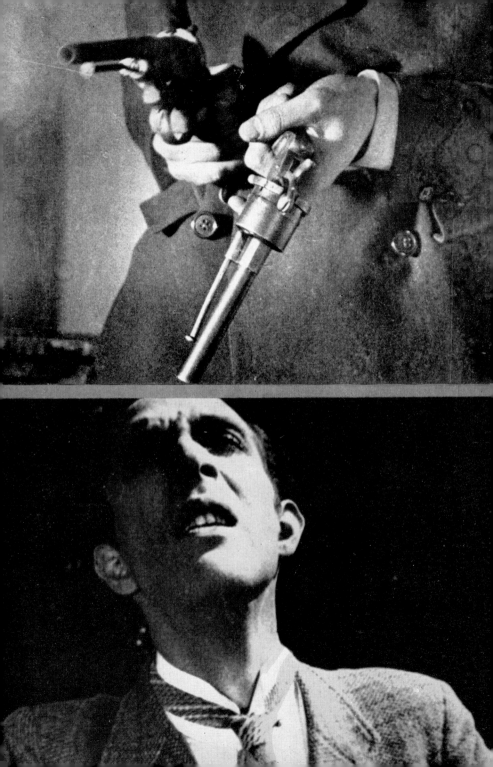

The shot of the crawling ants dissolves into a close-up of a woman's armpit. The woman is sun-bathing in a field; the edge of the frame shows that she has a white bonnet over her face as she lies on the grass. *(Still on page 80)*

Dissolve from the armpit hairs to close-up of a sea-urchin's spines as it lies on the sand. *(Still on page 80)*

Dissolve to a head seen directly from above as though through the iris of an eye. The iris opens slowly to reveal an extremely masculine-looking young woman, dressed like a man and with a man's haircut. This young androgyne is holding a stick with which she moves a hand, severed and bleeding, lying on the ground, vaguely giving the impression that she is trying to force the tip of the stick between its fingers so that the hand can climb up the stick. Cut to the androgyne, seen further from above. Iris out to show her surrounded by a milling crowd. *(Still on page 97)*

Cut to a circle of rioters, being pushed back by the police, who are surrounded by the crowd.

Cut back to medium close-up of the androgyne, who goes on prodding the hand. In the background, a policeman keeps back the crowd.

Close-up of the bleeding, severed hand being prodded by the stick; the stick presses into the actual flesh where the hand has been amputated.

Cut back to the crowd of curious onlookers, watching the scene with excited and sadistic expressions on their faces. One of the onlookers, who seems more surprised by the sight than the others, has to be restrained by a policeman as he pushes forward. Cut back to the androgyne, prodding the hand, then back to two shots of the curious crowd. Return to a close-up of the stick prodding at the bleeding flesh where the hand has been severed. Then return to the intent onlookers, seen slightly from above.

Medium close-up of a window in the building overlooking the street. The young woman and the cyclist are standing behind the window, looking at what is happening below. They watch with interest, but also seem a little uneasy. Cut back to the androgyne, seen from above as if from the window, still prodding the hand with a stick.

Quick cut back to the window where the two people stand, the young woman expressionless and the cyclist now smiling. Then cut back to the group of bystanders, also seen from above, as they surround the androgyne. A policeman roughly shoves aside a few idlers, and salutes. Cut to him as he says a few polite words to the androgyne. Cut again as he bends over to retrieve the hand and puts it into the striped box, then return to a medium close-up of him as he hands the closed box to the androgyne. Cut to her as she takes the box and presses it to her chest, looking melancholy and passionate and oblivious of other people. At the window, the two people are growing more and more agitated, especially the man. Return to the androgyne, clasping the box. Then cut back to the window, where the man's face is full of excitement and anguish.

Another sharp tilt down onto the androgyne, surrounded by the crowd. Curiosity is almost satisfied and people are moving off, some pushed away by policemen. She is left alone again, holding the striped box against her chest.

Intercut between the equivocal androgyne alone in the street, and the couple at the window. The man is highly excited, while below cars are driving very close past the androgyne, still hugging the box and listening to some inner silent music. Return to the couple at the window, who seem to be discussing something.

Seen from above, the androgyne is beset by passing cars. She seems unable to move. *(Still on page 97)*

Close-up of the man at the window, an odd grimace on his face as he looks down into the street.

A large car passes very near to the androgyne. Close-up of the immobile androgyne looking sadly along the street.

Frontal shot of a large car driven forwards.

The androgyne looks up suddenly.

From another angle, we see the androgyne raise her arms as the car comes straight for her. The striped box is on the ground.

Cut back to the terrified androgyne hugging the box to her chest as if it were a talisman.

Side shot of the androgyne, the box again on the ground,

with her terrified as the car approaches. She falls as the car
hits her.
Quick close-up of the cyclist standing by the window, smiling
sadistically.
Tilt down onto the androgyne lying on the ground, the box
by her side. The car which has run her over does not stop.
Two passers-by, soon joined by a third and a fourth, come
into shot and bend over the body.
Cut back to the window. The cyclist now stares inside the
room and moves away from the window.
Interior of the room : medium close-up of the couple, then
a succession of different angles. The couple seem to be
discussing the accident which has just taken place in the
street. Suddenly, the man tries to grab the young woman who
leaps back. He goes over to her and catches her by the breasts
and roughly pushes her backwards. The young woman, both
frightened and hypnotized, tries to get away.
Intercut between the man moving forwards as she moves
backwards. He corners her between a table and the wall. They
move up and down the wall almost as if they were each
doing the steps of a tango.[1]
In very large close-up, we see the man's hands pawing the
young woman's breasts. *(Still on page 98)* Medium shot of
her struggling to get away. Shot of the man, who has moved
back for a moment, lungeing forward once again to paw at
her breasts through her dress. She does not resist now.
Dissolve to medium close-up of the breasts, now half-bare,
being stroked by the man. *(Still on page 98)*
Close-up of the man's face, shot slightly from below. His eyes
have rolled up and bloody saliva begins to trickle from the
corner of his mouth. *(Still on page 99)*
Cut back to the hands pawing the naked breasts of the girl,
who is now wholly naked. Then dissolve to the hands stroking
the breasts through the dress. Cut back to close-up, tilting

---

[1] An Argentinian tango plays at this point on the soundtrack added to
   to the film in 1960. This soundtrack was added under the supervision
   of Buñuel, who based it on the records played at the first performance
   of the film.

upwards, of the man's face as he drools with eyes rolling upwards like those of a corpse. Cut back to the hands stroking the covered breasts, then dissolve to hands stroking a pair of naked buttocks. *(Stills on page 100)* Return to shot of the hands stroking the breasts through the dress.

Close-up of the man's face — he no longer drools and he looks vicious. Medium shot of the two people standing close together. The young woman pushes him away violently. Seen in long shot, the young woman runs away, scrambling over the bed. Cut to her making for the window. Camera pans towards the man as he follows her, then pans back with him as he runs at the young woman.

Return to the young woman with her back to a corner, unable to retreat any further. She raises her arms in terror, grabs a tennis racket hanging on the wall, and holds it like a weapon.

Long shot of the young woman in the background and the man seen from the back moving towards her. He suddenly stops pursuing her, looks down and turns as though he were searching for something, then turns back on her. Quick shot of his face in close-up, looking more furious and sadistic than ever. Different angles of the young woman, looking absolutely terrified and brandishing the racket as though to hit him; he moves slowly towards her. She shivers (the rhythm of the tango becomes more definite with each shot). Cut back to close medium shot of the man who stops, searches his pockets and begins looking for something on the floor. Cut to him as he bends over to pick up two ends of rope from the floor. Quick close-up of the young woman standing ready to defend herself, then cut back to the man who straightens up, tugging at the ropes. The man slings the ropes over his shoulders and, making a tremendous effort, begins pulling a mysterious cargo towards the young woman. He falls over on his back from the weight, but rises to pull forwards again. Quick shot of her amazed and terrified face as she slowly lowers the tennis racket.

The young man is bent double with the effort of pulling on the ropes. Visible on each rope near his shoulders are a cork mat and a melon. *(Still on page 100)*

Seen from behind, the full load is now visible. On two huge
grand pianos lie the carcasses of two donkeys, badly ripped
and decaying. In the background, the man can be seen
dragging them on the ropes.

Close-up of a donkey's head hanging down over the keyboard
of one of the pianos. The eye which is visible has been
gouged out. *(Still on page 101)* Repeat the previous shot of
the dead donkeys on the pianos.

Quick cut back to the young woman standing glued to the
wall.

Cut back to the man, seen from the side, dragging the load
towards her. Cut to the ropes; underneath them and the cork
mats which look like floats for the nets of fishermen, two
priests are lying back and allowing themselves to be pulled
along; they are praying aloud and look completely relaxed.
New shot of the man seen from above, pulling away on the
load, with the priests' hats and habits visible below the ropes.
The young woman is flattened against the wall. She stares
ahead, horrified.

Shot of the two priests in medium close-up, seen from above.
They now look terrified. *(Still on page 101)*

Shot from above of the man pulling his load.

Long shot from the back of the dead donkeys on the grand
pianos.

Long shot of the room : the man is moving towards the young
woman who stands near the door. Quick close-up of her face,
then pan in medium shot to her making a dash for the door.
Seeing her trying to get away, the man lets go of the ropes
and rushes over to the door. The young woman manages to
get out of the room, slamming the door behind her. As she
does so, she traps the man's hand in the door.

Shot of the man struggling to free his hand. He seems to be
screaming with pain.

Shot of the young woman standing on the other side of the
door, sighing with relief. Intercut between her and the man
on each side of the door. She looks in astonishment at the
hand trapped in the door. There are ants crawling on its
palm. Close-up of the hand covered with live ants. Close-up
of the young woman, very distressed but still pushing the

109

door shut on the hand. *(Still on page 102)*
Cut back to close-up of the hand, as its fingers try to close over the ants. She still pulls at the door.
Cut back to the same room, looking different because of brighter lighting.
At one end of it is the bed, with the same man lying on it, wearing the frilly cuffs of the cyclist and the striped box around his neck. Close-up of the man, seen from above, his eyes staring up. *(Still on page 103)*
Close-up of the young woman, now inside the room, yet in the same position as she was on the other side of the door. She looks around and lets go of the door.
Cut back to close-up of the man apprehensively looking off. The young woman looks back without expression. Close-up of the man's face looking at the young woman anxiously and lovingly. He smiles.
The following title appears:

TOWARDS THREE IN THE MORNING

A new character, seen from the back, comes up the stairway onto the landing outside the flat. Quick close-up of his hand pressing the electric doorbell. Cut to two hands shaking a silver cocktail shaker — the hands are seen through holes cut in the door.
Close-up of the smiling man lying on the bed in the room, as he gives a start. Return to the hands and the cocktail shaker. Then cut to the young woman leaving her post by the near door and crossing the room and going to the far door of the room to open it.
On the landing, the stranger, still seen from the back, pushes his way past the young woman. The man lying stares from the bed. The stranger walks straight over to the bed and orders him to get up. In medium close-up, we see the fear on the face of the man lying down. Cut to a medium shot of both men, seen from above. The man lying does not move, so the stranger seizes hold of the striped box round his neck and forces him to his feet.
Long shot of the two men now standing facing each other.

110

(Still on page 103) The stranger roughly tears all the white linen frills off the other man, and throws them one by one out of the window.

Exterior of the building, shot from below. In a succession of intercut shots with the main action, we see the various items stripped off the man as they fall out of the window, the striped box last of all.

Cut back to the two men inside the room; while the stranger is at the window, the man surreptitiously takes off the thong which held the striped box fastened round his neck and starts to slip it into his pocket. The stranger turns around and gives him a hard look; the man hangs his head, pulls the thong out of his pocket and hands it over to the stranger who takes it and throws it out of the window.

From outside, a quick shot of the thong falling out of the window.

A new shot shows the stranger ordering the man to go and stand against the wall. The man hesitates, then finally does go over to the wall and stands pressed against it like a little boy being punished. Shot of him alone; the tennis racket hangs on the wall near him. He glances furtively up at the wall, then, like a punished schoolboy, he turns back hurriedly and hangs his head. Shot of the two men : the stranger shows by a gesture that he wants the other man to raise his arms and stretch them out against the wall.

The stranger moves back to look at the man standing against the wall; he then removes his hat.

The following words appear on screen :

SIXTEEN YEARS BEFORE

Medium shot of the same room. The man is still standing there, near the door, as a punishment. The stranger walks towards camera, no longer wearing his hat, his hands joined as though in prayer. He walks in slow motion as in a dream, and opens his arms. Cut to a school desk at the other end of the room towards which the stranger is walking. He reaches out at it. Insert of the school desk with its usual ink-stand. On it are two ink-stained books. In a large close-up, we see the

111

stranger's hands as they pick up the books. Then cut to a quick shot of one of the hands pulling an ink-stained sheet of paper out of one of the books to close it properly. Medium close-up of the stranger, seen from the front, holding the books pressed to his chest and walking towards the other man in slow motion, then at normal speed. Quick shot of the other man standing against the wall; he looks uneasy, tries to turn towards the door. The stranger stops his movement by giving him the books. Close-up of the stranger, trying to express some strong feeling. The other man stands by the door, holding both books, his back to the stranger, who turns away.

Cut to the man with the books as he turns towards camera. Cut to the stranger walking away. Cut back to the man by the wall, as the books in his hands suddenly become revolvers by a jump cut. Like in a western film, the man raises the revolvers and prepares to shoot. Return to the stranger, still walking away.

New long shot of the stranger, as he turns, sensing something is wrong. The back of his head and shoulders fill the lower part of the frame, while the other man is seen in the background menacing him with the revolvers. The stranger raises his hands in surrender.

Intercut between the two men, the stranger pleading with raised hands, the man with the revolvers looking merciless and vicious.

The man holding the revolvers fires. Quick shot of the bullets coming towards camera to hit the stranger, who stands in the foreground with his back turned to the camera. Seen from above, he falls in slow motion. Quick close-up of the revolvers, *(Still on page 104)* then cut back to the mortally wounded stranger on the point of falling. *(Still on page 104)* In the background, the leaves of a tree now show. As he falls in slow motion and now in close-up, his chest, then his face, fall forwards past the camera.

Cut to a long shot of a meadow, with a lake and trees in the distance. In the middle of the meadow, a woman is sitting with her back to camera; she wears only a pearl necklace and a drape round her buttocks. The wounded stranger reaches out to her as he falls. Close-up of his hands, one of them palm upwards, trying to grasp her naked back. *(Still on page 121)* Cut back to the long shot, as the man falls to the ground behind the naked woman. *(Still on page 121)* She does not move, and then fades from the shot.

Several people walk quickly towards the stricken man lying in the meadow.

Shot of two men, one of them carrying a cane, having a quiet conversation as they stroll along.

New angle of the stranger who has just fallen. People are bending over him, turning him over and looking through his pockets; one man is trying to hear if the heart is still beating.

Cut back to the two men in medium close-up as they stroll through the meadow, very relaxed and unaware of the tragedy which has taken place.

Tilt down on the people around the body; one of them is still trying to hear if the heart is beating, another is lifting up the left arm.

New angle of the two men strolling along. A third man runs over excitedly to tell them what has happened.

The two men shrug and continue their walk as the third man, looking very disappointed, goes back to the group standing round the body.

The two men finally reach the group of bystanders just as they are picking up the body and getting ready to carry it away. One of the two men starts following the group as though he were a mourner at a funeral. Long shot, then medium close-up of the group carrying the corpse and advancing towards camera. Shot of the procession winding its way through the countryside. Long shot and dissolve on the procession, now seen from the back, walking through the meadow (at the end of this scene, there is a strong stress on the Wagnerian theme).

Cut back to the room. The door in which the man's hand had been caught now opens slowly. Superimpose a medium close-up of the young woman, who seems to be staring at the wall. She closes the door behind her and carefully examines the wall where the murderer was standing a short time ago. On the centre of the wall, now bare, there is a small black

113

spot.

Dissolve to a close-up of the black spot — a death's head moth. *(Still on page 122)*

Cut back to the young woman, staring intently.

Dissolve to a large close-up of the actual skull pattern on the moth's back. Then iris in to the skull pattern. Cut to a very large close-up of the skull pattern. *(Still on page 122)*

Cut back to the young woman, staring.

Cut back to a magnified close-up of the skull pattern, which fills the shot.

The young woman looks off, disdainfully.

The man who first appeared on the bicycle stands in the room, seen in medium close-up. He suddenly claps his hand to his mouth as if his teeth were about to fall out.

She looks at him with contempt.

He removes his hand. His lips are pursed up as if he had no mouth.

In retaliation, she outlines her mouth with a lipstick.

On the man's face, hairs now grow in the place where his mouth used to be.

When the young woman sees this, she stifles a cry and quickly looks at her armpit, which is completely hairless.

In a long shot, we see her in the background staring at the man in the foreground. She picks up a shawl and turns towards the door. The man looks at her, with hair growing over his mouth.

Cut to the young woman, as she scornfully puts out her tongue at the man and opens the door, through which a wind is blowing. She walks out of the room. Another angle shows her returning through the windy door to stick out her tongue at the hairy mouthed man for a second time.

Medium shot of the young woman who has closed the door behind her and is now standing in a strong wind. The cold makes her pull her striped shawl more tightly around her shoulders.

Shot of a man on a pebble beach with his back to camera, looking out to the sea. He is wearing a striped jersey and knickerbockers. He turns and comes towards camera; shot of the young woman, beckoning him to come nearer, then walking towards him.

Shot of the man standing alone facing camera; he stops
and puts his hands on his hips.

Long shot of the young woman running towards the man,
catching him by the shoulders and hugging him. Medium
close-up of them together, as he looks away from her. The
young woman raises her head and seems to be explaining
something to him very seriously. *(Still on page 123)* Quick
shot of her resting her head next to his wrist as he raises his
watch for her to look at. She pushes down the watch, smiling at
him, drawing closer. Medium shot of her coming up to
embrace him. He turns towards her as she kisses him, then he
throws down his cap, which he is holding in his hand.

Dissolve to the couple walking away from camera, holding
each other as they stroll along the edge of the water, kissing
from time to time. New shot of them, now advancing towards
camera: the young woman has trouble walking because of
the wind and the stones on the beach.

Close-up of the stones on the beach; lying on them are the
cuffs, the collar, the skirt and the hat of the cyclist, as well
as the broken striped box. Large close-up of the couple's
legs, seen from above: the man's foot kicks the broken
striped box out of the way. *(Still on page 124)*

The young woman bends down to pick up the soiled cuffs
and the thong.

In medium shot, the young woman, laughing, hands the
man what she has just picked up. He looks at these objects
and tosses them away again one after the other. They
continue their stroll, still holding each other, the man helping
the young woman to walk over the stones.

Shot of the couple walking along the beach (this last scene
is accompanied throughout by tango music).

Fade out.

Fade in to the final fixed shot, on which a title is imposed on
grey sky:

IN THE SPRING

The still on page 124 shows the man and the young woman

in a desert. They are buried up to their chests in sand, blinded, in rags, being eaten alive by the sun and by swarms of insects.

END

FILMOGRAPHY

1928   Un Chien Andalou

Script by Luis Buñuel and Salvador Dali. Directed by Luis Buñuel. Photography by Albert Dubergen.
Cast: Pierre Batcheff, Simone Mareuil, Jaime Miravilles, Salvador Dali, Luis Buñuel.

1930   L'Age d'Or

Script by Luis Buñuel and Salvador Dali. Directed by Luis Buñuel. Photography by Albert Dubergen.
Cast: Gaston Modot, Lya Lys, Max Ernst, Jacques Brunius.

1932   Las Hurdes (Land without Bread)

Script by Luis Buñuel. Commentary by Pierre Unik. Directed by Luis Buñuel. Photography by Eli Lotar.

1947   Gran Casino

Script by Mauricio Magdaleno and Javier Mateos. Based on a novel by Michel Weber. Directed by Luis Buñuel. Photography by Jack Draper.
Cast: Libertad Lamarque, Jorge Negrete.

1949   El Gran Calavera

Script by Raquel Rojas and Luis Alcoriza. From a comedy by Adolfo Torrado. Directed by Luis Buñuel. Photography by Ezequiel Carrasco.
Cast: Fernando Soler, Charito Granados, Ruben Rojo.

1950   Los Olvidados (The Young and the Damned)

Script by Luis Buñuel and Luis Alcoriza. Directed by Luis Buñuel. Photography by Gabriel Figueroa.
Cast: Alfonso Mejía, Roberto Cobo, Estela Inda.

1951   Susana

Script by Jaime Salvador. From a novel by Manuel Reachi. Directed by Luis Buñuel. Photography by José Ortiz Ramos.
Cast: Rosita Quintana, Fernando Soler.

1951   La Hija del Engano.

Script by Raquel Rojas and Luis Alcoriza. From a story by Carlos Arniches. Directed by Luis Buñuel. Photography by José Ortiz Ramos.

Cast : Fernando Soler, Alicia Caro, Ruben Rojo.

1951   Una Mujer sin Amor

Script by Jaime Salvador. From *Pierre et Jean* by Guy de Maupassant. Directed by Luis Buñuel. Photography by Raúl Martínez Solares.

Cast : Rosario Granados, Julio Villareal.

1951   Subida al Cielo

Script by Manuel Altolaguirre. Directed by Luis Buñuel. Photography by Alex Phillips.

Cast : Lilia Prado, Carmelita Gonzalez, Esteban Marquez.

1952   El Bruto (The Brute)

Script by Luis Buñuel and Luis Alcoriza. Directed by Luis Buñuel. Photography by Agustin Jiménez.

Cast: Pedro Armendariz, Katy Jurado, Rosita Arenas, Andrès Soler.

1952   Robinson Crusoe

Script by Luis Buñuel and Philip Roll. From the novel by Daniel Defoe. Directed by Luis Buñuel. Photography by Alex Phillips (Pathécolour).

Cast : Dan O'Herlihy, Jaime Fernandez, Felipe da Alba, Chel Lopez.

1952   El

Script by Luis Buñuel and Luis Alcoriza. From a novel by Mercedes Pinto. Directed by Luis Buñuel. Photography by Gabriel Figueroa.

Cast : Arturo de Córdova, Delia Garces.

1953   Cumbres Borrascosas

Script by Luis Buñuel. From *Wuthering Heights* by Emily Bronte. Directed by Luis Buñuel. Photography by Agustin Jiménez.

Cast : Irasema Dilian, Jorge Mistral, Lilia Prado.

1953   La Ilusion Viaja en Tranvia

Script by Mauricio de la Serna and Jose Revueltas. Directed by Luis Buñuel. Photography by Raúl Martínez Solares.
Cast : Lilia Prado, Carlos Navarro, Domingo Soler.

1954   El Rio y la Muerte

Script by Luis Buñuel and Luis Alcoriza. From the novel by Miguel Alvarez Acosta. Directed by Luis Buñuel. Photography by Raúl Martínez Solares.
Cast : Columba Domínguez, Miguel Torruco, Joaquín Cordero.

1955   Ensayo de un Crimen (The Criminal Life of Archibaldo de la Cruz)

Script by Luis Buñuel and Eduardo Ugarte. From a story by Rodolfo Usigli. Directed by Luis Buñuel. Photography by Agustin Jiménez.
Cast : Ernesto Alonso, Miroslava Stern.

1955   Cela s'appelle l'Aurore

Script by Luis Buñuel and Jean Ferry. From the novel by Emmanuel Robles. Directed by Luis Buñuel. Photography by Robert le Febvre.
Cast : Georges Marchal, Lucia Bose, Giani Esposito.

1956   La Mort en ce Jardin (Evil Eden)

Script by Luis Buñuel and Luis Alcoriza and Raymond Queneau and Gabriel Arout. Directed by Luis Buñuel. Photography by Jorge Stahl Jr. (Eastmancolour).
Cast : Simone Signoret, Georges Marchal, Michel Piccoli.

1958   Nazarin

Script by Luis Buñuel and Julio Alejandro. From the novel by Benito Perez Galdos. Directed by Luis Buñuel. Photography by Gabriel Figueroa.
Cast : Francisco Rabal, Marga Lopez.

1959   La Fièvre Monte a El Pao (Republic of Sin)

Script by Luis Buñuel, Luis Alcoriza, Louis Sapin and Charles Dorat. Based on the novel by Henri Castillou. Directed by

119

Luis Buñuel. Photography by Gabriel Figueroa.
Cast : Gérard Philippe, Maria Félix.

1960   The Young One

Script by Luis Buñuel and H. B. Addis (Hugo Butler). From the novel *Travellin' Man* by Peter Matthiesen. Directed by Luis Buñuel. Photography by Gabriel Figueroa.
Cast : Zachary Scott, Key Meersman, Bernie Hamilton.

1961   Viridiana

Script by Luis Buñuel and Julio Alejandro. Directed by Luis Buñuel. Photography by Jose A. Agayo.
Cast : Silvia Pinal, Fernando Rey, Francisco Rabal.

1962   El Angel Exterminador (The Exterminating Angel)

Script by Luis Buñuel. From a story by Luis Buñuel and Luis Alcoriza, suggested by an unpublished play by José Bergamin. Directed by Luis Buñuel. Photography by Gabriel Figneroa.
Cast : Silvia Pinal, Enrique Rambal, Jacqueline Andere.

1964   Le Journal d'une Femme de Chambre (Diary of a Chambermaid)

Script by Luis Buñuel and Jean-Claude Carrière. From the novel by Octave Mirbeau. Directed by Luis Buñuel. Photography by Roger Fellous. (Franscope).
Cast : Jeanne Moreau, Michel Piccoli, Georges Geret.

1965   Simón del Desierto (Simon of the Desert)

Script by Luis Buñuel. Directed by Luis Buñuel. Photography by Gabriel Figueroa.
Cast : Claudio Brook, Silvia Pinal.

1966   Belle de Jour

Script by Luis Buñuel and Jean-Claude Carrière. From the novel by Joseph Kessel. Directed by Luis Buñuel. Photography by Sacha Vierny (Colour).
Cast : Catherine Deneuve, Jean Sorel, Geneviève Page, Francisco Rabal, Pierre Clementi, Michel Piccoli.

• • • • • • • • **ROGELIO GÓMEZ NIEVES** • • • • • • •

LOS MEYI

LEYENDAS Y REFRANES

• • • • • • • **BERTHA HERNÁNDEZ LÓPEZ** • • • • • • •

RELIGIÓN

ROGELIO GÓMEZ NIEVES (La Habana, 1973). Durante años
ha estudiado con profundidad todo lo referente a
los cultos africanos y su repercusión en nuestro país.
Tiene publicado *Pataquines y fundamentos de Ifá*.

BERTHA HERNÁNDEZ LÓPEZ (La Habana, 1955). Graduada
de Filología. Editora. Como traductora literaria
ha publicado, entre otros: *Miscelánea*, de Manuel
Bandeira; *Las palabras vuelan*, de Cecilia Meireles;
Sábanas y sueños, de Orlando Senna; *Temas
de la vida angolana y sus incidencias*, de Oscar
Ribas; *Antología de textos dramáticos de Angola*,
de Fragata de Morais; *Balada de los hombres
que sueñan* (antología de cuentos angolanos), de
Antonio Quino. Así como reseñas y críticas en varias
publicaciones nacionales.

LOS MEYI

LEYENDAS Y REFRANES

Ediciones Cubanas
ARTEX

Corporativo V y T

Edición y corrección: Mabel Suárez Ibarra
Diseño de cubierta: Marcel Mazorra Martínez
Realización: Yuliett Marín Vidian

ISBN 978-959-7230-63-2

Ediciones Cubanas
5ta Ave. No. 9210. Esquina a 94. Miramar. Playa
e-mail: editorialec@edicuba.artex.cu
Telef (53) 7204-5492, 7204-3585, 7204-4132

Hecho el Depósito Legal en la Biblioteca Nacional del Perú
N° 2015-14256
CORPORATIVO VYT S.R.L.
Av. Canada Nro. 3820 Dpto. Piso 1 - San Luis - Lima - Lima - Perú
TEL. (511) 434-4402 / (511) 434-5508
IMPRESIONES JHON E.I.R.L.
Av. Bolivia 148 Of. 2140 C.C. Centro Lima - Lima - Lima - Lima

MITO Y CULTURA POPULAR

"La humanidad ha entrado en un nuevo milenio con una profunda crisis de valores y no es casual que en muchos lugares se vuelvan los ojos al pasado, a las sociedades tradicionales en busca de una espiritualidad perdida, en busca de una sabiduría, para volver a reconocerse y a evaluarse".*

Es por ello que para valorar las culturas populares, percibir la identidad como un proceso progresivo, no estético, en suma alcanzar una comprensión real del otro se hace necesario conocer los mitos fundacionales de cada cultura como eje de la misma.

Los mitos se refieren a un tiempo y un lugar extraordinario, a dioses y procesos sobrenaturales, pero por su naturaleza totalizadora, pueden iluminar muchos aspectos de la vida individual y cultural de cualquier país.

Son los mitos africanos los que más han aportado a nuestra cultura y a nuestra identidad, razones ya conocidas, pero sobre todo por ese largo período de colonización y de esclavitud que vivió la Isla.

Este volumen recoge varias historias, que gracias a la tradición oral y a las Libretas de algunos sacerdotes de Ifá conservadas y que sus *albaceas* desinteresadamente nos autorizaron ver, nos permite adentrarnos en nuestras raíces.

Los intercambios sincréticos, su riqueza simbólica hacen que la tradición yorubá llegada hasta hoy esté impregnada de referencias culturales, principios y rituales que nos distinguen, no obstante asumir marcadamente los valores que deben

---

* Adrián de Souza Hernández: *Ifá, santa palabra. La ética del corazón.* Ediciones Unión, La Habana, 2003.

regir al hombre en su accionar social, para alcanzar una equidad que nos consienta vivir en paz y respeto dentro de la diversidad social a nivel global.

En el caso que nos ocupa, los meyi, forman parte de los odus de Ifá que presentan dos categorías: la primera conocida como meyi, pareados o dobles como también se le llaman, reconocidos como los reyes de Ifá, que agrupa a dieciséis figuras o signos, que combinados entre sí dan lugar a doscientas cuarenta figuras que forman parte de los nombres de sus omolú, o hijos de las figuras pareadas, para completar las doscientas cincuenta y seis posiciones del oráculo.

Aunque en los inicios este cuerpo literario fue representado en versos, aquí asume la prosa como vehículo, aparecen primero los nombres de las deidades que hicieron la adivinación para el signo, después comienza la breve historia donde se explicita el porqué el personaje va a consulta, la situación que lo mueve a ello, si este acepta el sacrificio señalado por Ifá y finalmente las consecuencias negativas o positivas que vive el personaje en cuestión. Cada grupo de historias bajo un signo cierra con los refranes del odu, válidos para situaciones similares.

Cada odu de Ifá evoca diferentes aspectos de la vida cotidiana del hombre y señala el camino a seguir para sortear los escollos inevitables que en la misma se nos presentan, a fin de tomar la decisión justa, la más correcta o adecuada con el fin de preservar nuestros valores.

Así encontraremos los dictámenes de Babá Eyiogbe, que representa la sabiduría; Babá Oyekú Meyi, mensajero de la muerte, y de figuras que responden a la justicia divina, al binomio inteligencia y fuerza, entre otras.

Es bueno destacar que se ha mantenido, en lo posible, el tono coloquial de las historias para que no pierdan esa frescura de lo informal de la conversación en familia, pues como ya señalamos antes todas estas historias han llegado por diversas vías, ya sea oral o escritas en los cuadernos de ancestrales sacerdotes Ifá; además muchos nombres yorubá han sido transcritos a nuestro español, para lograr una mejor interpretación y acercarlos a la forma en que hoy se conocen.

No obstante, aparecen figuras que no son muy conocidas en Cuba, pero como fueron tomadas literalmente de estos papeles patrimoniales no podíamos pasar por alto.

Acompaña al cuaderno un glosario a fin de facilitar la interpretación de algunos pasajes, sobre todo para los menos entendidos.

Esperamos que nuestras expectativas se cumplan y sirva el presente libro no solo para los conocedores del tema, sino también para aquellos que quieran enriquecer más nuestro acervo cultural, y que estas historias no queden en el olvido, que sus enseñanzas formen parte del quehacer diario y esa crisis de valores de la que hoy tanto se habla en los *mass media* no perturbe nuestro andar sorprendente.

B.H.L.

BABÁ EYIOGBE

Hablan: Igba iwa Odu, Oddudua, Orisha Nla, Eshu, Yemayá, Oshún, Shangó

La primera encarnación de Orúnmila

Oloddumare disgustado por la forma en que el hombre vivía en la tierra escogió entre los irúnmole a Babá Eyiogbe y lo mandó a la tierra encarnado en Orúnmila con las tablas de los sagrados mandamientos y el cofre hierático, pero nadie lo seguía.

Había tres extranjeros que llegaron a aquella tierra llamada de los versos y cuando Eyiogbe les predicó Ifá se mofaron con él. Como ellos llegaron con hambre al ver un perro muerto dijeron:

—Haremos cada uno un verso a ese perro y quien haga el mejor comerá sin pagar.

Y así dijeron:

—Este perro cuando el mundo caminó nada pagó de lo que comió.

—Este perro cuando estaba vivo, comió todo crudo y nada cocido.

—Este perro cuando durmió la siesta, nunca durmió una como esta.

En eso pasó por allí un crío que no era otro que Eshu disfrazado y cuando le preguntaron dijo:

—Todos están igual de buenos, por lo que deben de invitarme a mí.

9

No les quedó otro remedio que invitarlo, pero planearon burlarse del crío.

Los tres embusteros se pusieron de acuerdo con los posaderos y resultó que pusieron en la mesa un salchichón partido en tres partes iguales, pero Eshu con su poder hizo caer una lámpara cerca de la mesa y mientras todos preocupados miraron hacia el lugar, tomó los tres pedazos y se marchó. Fue reprendido por Eyiogbe y fue su primer discípulo en la tierra.

El primer discípulo

Eyiogbe fue a casa de Eshu y allí comenzó a adivinar para un campesino que cansado de su vida miserable sacrificó. Un día el rey preguntó al campesino de qué vivía y este respondió que vivía de 20 monedas divididas entre sus padres ancianos y el sustento de su casa, mujer e hijos. Al rey le gustó tan noble respuesta y dijo al campesino que no contara a nadie cómo dividía sus 20 monedas sin antes ver cien veces su cara. El rey quiso probar a sus adivinos y les dijo que encontraran a un hombre en su reino que sabía mantener a su familia con 20 monedas. Ellos después de algún tiempo lo encontraron, y como no hablaba, le ofrecieron 100 monedas de oro las cuales tenían el rostro del rey.

El rey enterado mandó a buscar al campesino y este respondió que había visto su rostro en las 100 monedas, por lo que el rey quiso recompensar su inteligencia y dijo:

—Pide lo que quieras.

El campesino pidió 5 monedas por cada hombre que tema a su mujer.

El hombre comenzó a enriquecerse con el cuento de las 5 monedas y ya hasta tenía carruaje. El rey enterado lo mandó a buscar para preguntarle cómo había prosperado tanto y el campesino comenzó a contarle que en el camino había visto una princesa muy bonita preguntando por el rey, en ese momento la reina pasaba por allí, el rey le dijo:

—Habla bajito que ahí viene la reina.

Momento que aprovechó el campesino para pedirle 5 monedas por su miedo y así se hizo rico.

REFRANES DE BABÁ ÉYÌOGBÈ

1 - La cresta del gallo.

2 - Un solo Rey gobierna su pueblo.

3 - Dos amigos inseparables se separan.

4 - Rey muerto, Rey puesto.

5 - Todo lo tengo, todo me falta.

6 - Dios le da barba al que no tiene quijada.

7 - Protector de la ciudad, es el nombre de Eshu.

8 - El dinero se sienta sobre la cabeza.

9 - Las deudas cuelgan de nuestros cuellos.

10- La cabeza manda al cuerpo.

11- La felicidad en casa del pobre dura poco.

12- Este río y el otro tienen un solo Rey, el mar.

13- Todos los honores de las aguas que hay en la tierra no son tan grandes, como el honor del mar.

14- La mano alcanza más alto que la cabeza, aunque la cabeza esté sobre las manos.

15- Cao y lechuza son los nombres de Orúnmila.

16- No tan calvo que se vea el cuero.

17- No hay mal que dure cien años, médico que lo asista y cuerpo que resista.

18- Divide y vencerás.

19- El cerdo puede pasar la vida sobre la piedra, pero prefiere vivir bajo ella.

20- Aquel que oculta sus males será enterrado con ellos.

21- Siempre que se escuche música, el sonido de la campana será más alto que el de los demás instrumentos.

22- Ningún sombrero es mayor que una corona.

23- La mano alza más alto que la cabeza únicamente para protegerla.

24- Por los caminos del mundo no hay distinción, lo mismo anda el bueno que el malo.

25- El pensamiento sabio es la fuerza que mueve la tierra.

26- Ningún bosque es tan espeso que el árbol de Iroko no pueda ser visto.

27- Las palmas jóvenes crecen más altas y frondosas que las viejas.

28- La muerte y la enfermedad no libran la guerra en casa de Oloddumare.

29- Es un error no aprender de los errores.

30- Las contradicciones sacan a la luz su escondrijo.

OGBE OYEKÚ

Hablan: Oddudua, Orunla, Eshu, Oshún

La primera esposa de Orúnmila

Sucedió que Orúnmila estaba triste por no tener esposa y quería regresar al cielo. Él adivinó viendo este Ifá, que le aseguraba la llegada de una mujer inteligente, hija de Oyekú, y dijo:

—¿Cómo la reconoceré?

Ifá respondió:

—Por su inteligente respuesta.

Él sacrificó y partió por distintas tierras. A cada sitio que llegaba mandaba a cocinar y servir una gallina a cierta joven, pero ninguna lo hacía de modo que la escogiera como apetebí.

Llegó a una taberna donde había una atractiva joven que le correspondía y para probarla dijo:

—Cocina una gallina y compártela entre tu familia y un forastero.

Ella cortó la cabeza y la sirvió a su padre, las alas a su madre, las patas al forastero y la pechuga la tomó para ella.

A Orúnmila le pareció muy extraña aquella forma de repartir la gallina y después del servicio llamó a la joven y le preguntó, a lo que ella respondió:

—Le di la cabeza a mi padre pues le corresponde el gobierno de la casa. Di las alas a mi madre para albergar a la familia. Di las patas al forastero para que tenga buen viaje. Me quedé con la pechuga para encontrar el amor en mi pecho.

Al día siguiente Orúnmila la pidió en casamiento.

Eshu alimenta a Orúnmila con un caldo de piedra

Enseguida que Orúnmila encontró pareja idónea ocurrió que los clientes, después de resolver sus problemas, olvidaban remunerarlo y se vio pasando hambre. Eshu fue de puerta en puerta pidiendo limosna para alimentar a Orúnmila y a su mujer pero nadie le daba nada. Eshu prometió hacer un caldo de piedra para Orúnmila y llegó a cierta casa donde despertó la curiosidad de la gente por el caldo de piedra.

Puso la piedra con agua en la olla y pidió grasa, él lo probó pero lo encontró insípido y pidió sal, después dijo que para espesarlo necesitaría col y un pedazo de chorizo para que quedara más sabroso. El caldo despedía un olor delicioso y así pudo alimentar a Orúnmila. Después de algún tiempo la gente preguntó a Eshu por la piedra y respondió:

—La llevo conmigo para la próxima vez que Orúnmila tenga hambre.

REFRANES DE OGBÈ ÒYÈKÚ

1- Desciende sobre la muerte.

2- El arcoíris solo ocupa el tramo que Dios le mande.

3- El que desee que no lo engañen, que no engañe.

4- Para hacer el mal, no hay hombre pequeño.

5- Cuando la boca no habla, las palabras no ofenden.

6- La cabeza que no ha de ir desnuda, encontrará sombrero cuando abra el mercado.

7- Una flecha también tumba una corona.

8- Tiende tu mano al afligido y ponte lejos de ojos altivos.

9- Cualquiera se pierde en noche seductora, cualquiera se salva sacrificando a Olorun.

10- El botín mal habido tiende lazo sobre el cuello del ladrón.

OGBE WEHIN

Hablan: Eshu, Obatalá, Shangó, Olokun, Oshún, Aleyo, Eggún, Oro

La esposa testaruda

Ocurría que Orúnmila no envejecía y su esposa sí, por lo que ya no podía seguirlo en su peregrinación. Ellos llegaron a tierra de pescadores donde Orúnmila fue deslumbrado por la belleza de una joven y la tomó como segunda esposa sin consultar el oráculo. Al poco tiempo la joven comenzó a porfiar por todo, tanto que le llamaban la testaruda.

Resultó que en un plante en que todas las apatebí cortaban el queso con cuchillo, ella lo hacía con tijeras. Cuando Orúnmila vio aquello le dijo que era con cuchillo con lo que se cortaba el queso y ella que con tijeras.

Ellos se disponían a abandonar aquella tierra y todavía la mujer porfiando que el queso se corta con tijeras, Eshu que ya había agotado todo su ingenio en callar aquella mujer le dio un empujón al río y ella no sabía nadar, comenzó a chapotear y a tragar agua, momento que aprovechó Eshu para pregúntarle:

—¿Con qué se pica el queso?

Y ella movía los dedos fuera del agua simulando el corte de una tijera.

Eshu al ver que se ahogaría, se colocó bajo sus pies de modo que ella pudiera respirar, todos comenzaron a lanzarle soga para sacarla pero ella dijo que no se movería hasta que el río desviara su cauce y que no dejaría pasar agua de un lugar a otro, pero como a Eshu le faltaba el aire se fue y las aguas se la llevaron.

Los fañosos

Hubo un tiempo en que los hombres no tenían narices, y todos eran fañosos, por lo que sus sonidos siempre terminaban en (ñe). Ellos tenían que respirar por la boca, cosa muy incómoda para comer y respirar al mismo tiempo. Suplicaron a Olofin que los atendiera y Orúnmila fue enviado a resolver aquel dilema.

Orúnmila sacrificó para mejorar al hombre y como en todos los lugares, unos obedecieron y otros no. Los más inteligentes estuvieron alertas, pues Orúnmila les avisó el día y la hora en que Olofi le mandaría el barco con las narices. Cuando las narices llegaron a puerto, los que sacrificaron escogieron las narices más bonitas.

Cuando los renegados se enteraron, fueron al lugar y formaron desorden pues temían no alcanzar, las narices fueron regadas por el suelo y en el tumulto de gente las pisotearon, estropeándolas. Y desde ese día quedó la marca en sus rostros por no escuchar a Orúnmila.

REFRANES DE OGBÈ ÌWÒRÌ

1- Mira detrás.

2- Cuando una aguja se le cae a un leproso, se esfuerza para volver a obtenerla.

3- Los niños malcriados e intratables, serán corregidos por el extraño.

4- Cada cual vino para lo que Dios lo mandó.

5- El abikú convierte en mentiroso al médico.

6- El gran tambor Akeya dijo que demoraría mucho para emitir su sonido.

7- Eres valiente, confías en tu firmeza, mas si no moderas tus ambiciones, tendrás una vejez solo para secar lágrimas.

8- La esponja va alegremente a la cabina del baño pero sale llorando.

9- El que disimula la injuria es un cuerdo, es hipócrita consigo mismo.

10- Los oddún de Ifá son más fuertes que la brujería.

11- Un tejedor no se establece en la ciudad porque ellos se congregan en multitudes.

12- Un solo sacerdote no puede ser lo suficiente sabio para predecir los designios de Odú y el resultado de la adivinación de Ibo.

13- Nada revelado puede ser secreto.

14- Quien perdió un familiar bajo la fiereza del tigre, se arrodilla a ver un zorro.

15- Un favor nunca complace a un pariente.

16- Aunque me creas, solo no lo estoy, Olofin me acompaña.

OGBE DI

Hablan: Elegguá, Obatalá, Oggún, Oshún, Dadá, Orúnmila, Elerda, Oké

El príncipe mocoso

Orúnmila llegó a una tierra y vivió en la casa de un campesino que tenía dos hijos. Ellos poseían un sitio sembrado de maíz y todas las noches había que vigilarlo, pues una manada de caballos salvajes venía a pastar en sus campos.

Orúnmila adivinó para el hijo menor al que todos llamaban mocoso.

Ocurrió que en el pueblo el Rey abrió un certamen donde daría la mano de su hija al que pudiera saltar a caballo hasta la azotea de su hija la princesa. Muchos lo intentaron incluyendo el hijo mayor, quien cayó al suelo y se manchó con el estiércol de su caballo, pero nadie lo había logrado.

Una noche en que el mocoso cuidaba el sitio, enlazó al caballo del Diablo el cual le dijo que pidiera lo que quisiera. Él pidió vestir un traje plateado como la luna y saltar sobre su lomo a la terraza de la princesa, de ese modo el mocoso llegó a ser príncipe.

El pitirre y el aura

Cuando Olofin creó el mundo, mandó a Orúnmila para que enseñara a cada ave a construir su nido, muchas de las aves escucharon y aprendieron, logrando confortables y seguros nidos para criar a sus hijos. Pero el aura era muy haragana, se

18

hacía muchas ilusiones, imaginaba que encontraría un nido vacío y lo adaptaría a su manera sin tener que trabajar tanto.

En cuanto comenzó a llover, ella se escondió en los ramajes y allí vio un nido de pitirre con sus pichones, ella los mató y se quedó sobre el nido y dijo:

—Cuando escampe yo construiré el mío.

En cuanto se calmó la lluvia apareció el pitirre y al ver lo ocurrido comenzó a picar la cabeza del aura. Desde ese día el aura no tiene cabida en los árboles, pues el pitirre siempre picotea su cabeza. Es por eso que ella pone sus huevos entre las piedras y sus pichones no tienen nido.

REFRANES DE OGBÈ ÒDÍ

1- Completamente claro. Ogbe cierra.

2- Pagan justos por pecadores.

3- Nacen las bagatelas.

4- Cada quien vino al mundo para lo que Dios mandó.

5- El verdadero modo de no saber nada, es aprenderlo todo de un golpe.

6- Después de ofrecerle el beneficio me dejan colgando.

7- La flecha tiene la virtud de no sonar.

8- La sabiduría esta esparcida por muchas cabezas, pues no hay cabeza que pueda retenerla.

9- Después de la muerte de un amor, nace otro que pensamos es mejor.

10- Si el cangrejo tuviera cabeza, caminaría con destino.

11- El que persevera triunfa.

12- Quien anuncia el bien a otros, jamás alcanzará el suyo.

OGBE IROSUN

Hablan: Orúnmila, Eshu, Oggún, Osain, Egungun, Olokun

El cóndor y el gusano

Olorun prometió desplegar su gloria a la altura de las nubes sobre la colina más alta del mundo, para ver cual de los animales creados podía alcanzarla. Orúnmila adivinó para el cóndor y le aconsejó sacrificar para lograr alcanzar tan anhelado honor, pero él se jactaba de ser el animal que más alto volaba en el mundo. Orúnmila adivinó para el gusano señalándole posibilidades de alcanzar la gloria, y este le preguntó:

—¿Cómo podría ser eso posible?

Y Orúnmila le respondió:

—Nunca te rindas en tu empeño.

El gusano sacrificó y partió colina arriba sin que nadie lo supiera, así día tras día se arrastró sobre su pecho hasta llegar a la colina más alta del mundo.

Llegó el día en que Olorun mandó a todos los animales a buscar la gloria del mundo. El cóndor con sus enormes alas llegó a la cumbre y comenzó a vanagloriarse de que solo él podía llegar a la cima del mundo, cuando de pronto se escuchó una voz que decía:

—Hermano, hace tres días que estoy aquí.

A lo que el cóndor sorprendido preguntó:

—¿Cómo has llegado aquí?

Y respondió:

—Nada es imposible para quien tiene voluntad de sacrificio.

Y así el simple gusano se llevó el honor del presumido cóndor.

La letanía del pájaro

Orúnmila llegó a una tierra donde nunca salía el sol, porque un pájaro gigantesco se lo había tragado. Nunca era día, sino noche, y todo el tiempo el pájaro cantaba:

—Yo no he visto día, sino noche.

Todos temían al pájaro y nadie hablaba.

Orúnmila sacrificó y cansado de la misma letanía del pájaro no soportó más. Salió de la casa con su irofá y dijo:

—Yo he visto día y noche también.

El pájaro bajó y se lo tragó. Pero Orúnmila no era bobo, iba preparado con su irofá y le fue perforando el hígado en pedazos. El pájaro se debilitaba cada día y la voz no le salía. Ya su canto se oía con menos fuerza, hasta que un día cayó al suelo.

Entonces todos los hombres fueron llamados para hacerlo pedazos. Y Orúnmila desde el interior les advirtió que lo hicieran con cuidado, que él estaba vivo. Por fin, salió. Le dieron las gracias porque de nuevo el sol brillaría para todos.

Y desde ese día todos vivieron felices, gracias a la astucia de Orúnmila.

Orúnmila se desposa con Ikú

Orúnmila después de procrear cuatro generaciones decidió deleitarse y en sus ratos libres se adentraba en el monte para cazar. Consulta a Ifá y le fue aconsejado sacrificar para no ver la muerte antes de tiempo. Pero él era moroso al sacrificar.

Un día estuvo en medio de un tupido monte al acecho de un puerco salvaje, que debía aparecer de un momento a otro, en eso escuchó un lindo canto. Levantó los ojos hacia una peña y en su cima había una hermosa joven que impacta su corazón. Ofreció el awó a los pies de aquella dama, todo lo que tenía que no era poco.

—Guarda tus riquezas, eso no es lo que te pido para que seas mi dueño.

—¿Qué dote pues deseas?

—Quiero renuncies al legado de tu sangre y me pongas a mí por encima de tu fe.

Miró a la joven y se perdió en su tierna sonrisa.

—¡Así sea: esta dicho!

Tomó a la joven y la montó en su caballo pero cuando palpó cuidadosamente las desnudas formas de la joven pudo comprobar que sus piernas eran huesos fríos como los de la cabra. Entonces clamó a Ifá, pero ya era tarde pues Ikú lo tomó.

El viejo del zurrón

Orúnmila se estableció en aquella tierra donde se apareó a la cotorra y procreó un hijo, el cual era su predilección y nunca se apartaba de su lado. Un día el muchacho a escondidas decidió ir a bañarse al mar con unos amigos. Dejó la ropa en la orilla y mientras jugaban en el agua, pasó por allí un viejo y robó sus ropas, las metió en un zurrón.

El muchacho salió tras el viejo y este le dijo que solo le daría la ropa si entraba a buscarla al interior del zurrón, cuando entró se lo echó a la espalda y se marchó.

El viejo le dijo al muchacho:

—Cuando yo vaya por las calles y te diga: canta zurrón; si no cantas, te doy con el bastón.

El viejo viajó por muchas tierras y ganó mucho dinero. Orúnmila hizo ebbó que debía depositarlo en el zurrón de un embaucador; enterado de la fama del viejo partió tras él, ofreció dinero a la hostelera que le permitiría depositar el ebbó dentro del zurrón cuando el viejo estuviese dormido. Así encontró a su hijo triste y enfermo.

Al otro día cuando el viejo golpeó el zurrón en presencia de todos, este no cantó y el pueblo lo obligó a lamer el ebbó. Fue acusado y llevado a la cárcel por embaucador.

REFRANES DE OGBÈ ÌRÒSÙN

1- Lanza el sueño al camino. Ogbe ve el Osun, Ogbe saca el Osun a ver el mundo.

2- Es mejor morir con la verdad que vivir con la mentira.

3- Si le das un puntapié a tu perro, otros le darán palos.

4- El ojo del hombre ve a Dios solo entre lágrimas de tristeza o regocijo.

5- El pobre cuando hace un hijo está haciendo por sí mismo.

6- El que enmienda sus defectos modifica a sus enemigos.

7- Si tu cabeza no te vende no hay quien te compre.

8- Para el que cree todo es posible.

9- El padre nunca niega la ayuda al hijo.

10- Nada prestado puede tenerse indeterminadamente.

11- El que pierde su padre pierde su protección.

12- Aquel que es enterrado por su hijo es aquel que verdaderamente tiene hijos.

13- Cuando la cabeza es buena conduce a los pies derechos.

14- Por mucho que lo anuncien no compre lo que no sirve.

OGBE OJUANI

Hablan: Orúnmila, Eshu, Eggún, Obatalá

Orúnmila rehúsa casarse con una princesa

Orúnmila llegó a tierra de leñadores donde existía un acertijo que ningún mago del mundo había podido descifrar. Ocurrió que la princesa encontró un piojo en la cabeza de su padre el rey y cuando quiso quitárselo respondió:
—Déjalo, pues quiero que crezca.
El piojo creció tanto que llegó a ser más grande que la cabeza, entonces el rey lo mandó a matar y con su piel construyó un tambor. Creó una especie de concurso en el cual daría la mano de su hija al que fuera capaz de adivinar de qué estaba hecho el tambor. Los grandes sabios del mundo fueron al certamen y ninguno pudo descifrar. Eshu que todo lo ve, escuchó cuando la princesa dijo al oído del sirviente de un joven príncipe que nadie podría adivinar que el tambor era de piel de piojo. Orúnmila adivinó, pero la princesa amaba al joven príncipe y Orúnmila pensó que ella no sería buena esposa pues no lo amaba. Orúnmila rehusó casarse con ella pues ninguno de los dos sería feliz y el rey al ver el gesto noble de Orúnmila lo recompensó con enormes riquezas.

Orúnmila muestra la virtud de los 10 enanos

Orúnmila alcanza llegar a la tierra de las mujeres perturbadas, donde solo había discusión entre ellas y sus maridos, y todo estaba a medio hacer, cuando estaba la comida no estaba el agua caliente, y cuando la cama estaba tendida la loza estaba sucia, por lo que las palizas no cesaban. Ellas fueron a ver a Orúnmila por adivinación, quien les dijo que en el bosque había 10 enanitos que podrían ayudarlas, pero que tenían que levantarse temprano en la mañana y arreglar la cama, encender el fuego, barrer la casa, remendar la ropa y mientras cocinaran fueran enrollando sus madejas de hilo hasta que llegaran sus maridos; así les fue indicando lo que debían hacer, diciéndole que en todo esto iban a ser ayudadas por los 10 enanitos del bosque sin que ellas los sintiesen.

Las cosas comenzaron a ir bien en aquella tierra y ellas iban a agradecer a Orúnmila, pero él siempre les recordaba que era a los 10 enanitos a quien debían de agradecer, pues aquel asunto estaba fuera de su alcance. Pasó el tiempo y ellas pidieron a Orúnmila que le mostrara aquellos maravillosos enanitos y él respondió: no sean tontas si quieren verlos miren a sus manos, sus 10 dedos son los enanitos.

REFRANES DE OGBÈ ÒWÒNRÍN

1- El que mata el amor, siembra el odio.

2- El momento de la creación ha llegado.

3- Usted es candil de la calle y oscuridad en la casa para quien tiene capacidad.

4- El camino más largo se hace corto cuando se regresa a la casa.

5- Quien encuentra paz en su casa no la pierde en la calle.

6- Al este o al oeste mi casa es mejor.

7- La cabeza siempre triunfa sobre la mala fortuna.

8- La verdad y solo la verdad se pone encima de la verdad.

9- La honestidad libera al hombre del penar.

10- Todos nos servimos de maestros.

11- Por grande que sea un árbol no es igual al bosque.

12- Un extraño no se afecta por sucesos familiares.

OGBE OBARA

Hablan: Shangó, Orunla, Obatalá

El flamenco, el loro y la codorniz

Orúnmila llegó a la tierra de las aves cuando se disputaban en un concurso quién tenía más capacidad de liderazgo. La codorniz y el loro eran íntimos amigos pero el loro también ambicionaba el poder, se escondió en las cuatro esquinas y sopló polvos a la codorniz. Cuando esta se presentó, le señalaron el defecto de no saber llevar su casa ni hacer un nido pues debía mucho, esto la disgustó tanto que metió la cabeza en la tierra igual que el avestruz, pero como no estaba abolú murió.

El segundo en presentarse fue el loro vestido de colorines para llamar la atención del jurado. Comenzó a hablar de sus propias habilidades cosa que desagradó y le hizo perder fuerza moral en sus palabras, por lo que le recordaron que había sido preso por robarle los frijoles a Orisha Oko.

Pero el flamenco antes de presentarse había ido a casa de Orula e hizo ebbó, cuando llegó su turno, todos los pájaros le envidiaban su traje de color rosado entero e idearon la forma de enredarlo frente al jurado, le preguntaron qué creía sobre su evidente victoria sobre los demás concursantes, pero él solo decía la frase que Orula le había dicho:

—Soy delgado como la aguja.

Cuando llegó su turno, el flamenco comenzó a conversar haciendo gestos simpáticos con los cuales hechizó a todos por la gran paz y el carisma que transmitía. Fue tal la armonía entre los gestos y las palabras que lo hicieron rey.

Orúnmila diferencia al labrador del ermitaño

Prosiguió Orúnmila su peregrinación por el mundo y llegó a una tierra de labradores y ermitaños con sus discípulos. Pasaron por el campo y encontraron a los labradores trabajando duro a pleno sol mientras proferían maldiciones y se lamentaban de su suerte.

Orúnmila los saludó y les profetizó vida santa.

Continuaron su camino y encontraron a los ermitaños rezando en la entrada del pueblo vestidos con harapos, y con santos en sus manos pidiendo limosnas.

Orúnmila los saludó y les profetizó vida de puerco.

Los discípulos no entendieron y preguntaron a su maestro por qué bendecía al que maldice y maldecía al que reza con tanta devoción.

—Lo hice porque aquellos que estaban maldiciendo trabajan, sustentan a sus familias y producen alimentos para mucha gente, mientras que los que rezan lo hacen para sí mismo y no se sacrifican por nadie, ellos aparentan religiosidad y viven a costa de las limosnas, que son el trabajo y las privaciones de los demás.

REFRANES DE OGBÈ ÒBÀRÀ

1- A un gustazo un trancazo.

2- El murciélago con la cabeza para abajo observa la manera que se comportan los pájaros.

3- Las ideas de un hombre bueno son como lingotes de oro.

4- Un rey que muere, un rey que come.

5- La gallina blanca no se da cuenta que ella es un pájaro viejo.

6- Aquel que debe jugar un rol en la vida, se reconoce por su nacimiento.

7- A la gran tinaja no le falta jamás un hueco.

8- El buen sol se conoce en la aurora.

9- Si vistes al desnudo y le echas en cara tu favor, no lo has vestido.

10- La gran tinaja no puede romperse ella misma.

11- El mayor dolor es el amor mal correspondido.

12- El que mucho se aleja, pierde el camino de regreso.

OGBE KANO

Hablan: Agboniregún, Eshu, Orungan, Orishabi, Obatalá, Shangó, Eggún, Elerda

Orúnmila sacrificó para los jóvenes

Orúnmila llegó a una tierra donde las mujeres gobernaban a los hombres y los hombres jóvenes no se querían casar, así que muy pronto se extinguiría la raza. Solo los hombres jóvenes sacrificaron e hicieron lo siguiente: el día de la luna de miel cuando se acostaron en la cama pidieron al candelabro que se apagara y como este no se apagó lo apagaron a tiro y dijeron:

—Eso es por testarudo.

Al amanecer dijeron a la puerta:

—Ábrete.

Y como esta no lo hizo, la abrieron a tiro y dijeron:

—Eso es por testaruda.

Tomaron sus mulas y las condujeron por un lugar peligroso, cuando estas temerosas retrocedían, le dieron de tiros por testarudas, quitaron sus arreos y los colocaron a sus mujeres y estas quedaron bajo su control.

Cuando los hombres mayores quisieron hacer lo mismo con sus esposas, las mujeres dijeron:

—Fuera asno, ¿no sabes que burro viejo no coge paso? Tal vez quieras matar el candelabro de un tiro, inténtalo y verás la paliza que te doy.

Y los viejos esposos tuvieron que volver a la antigua regla por no hacer ebbó.

29

La zorra y el lobo

Cuando Orúnmila llegó a la tierra de los lobos, adivinó al jefe de la camada pero este no sacrificó. Al poco tiempo la zorra encontró unas botas en el basurero y se las puso. El lobo al verla le preguntó:

—¿Dónde compró usted esas botas?

Y ella respondió:

—Yo misma las hice.

Por lo que el lobo le preguntó cuánto le cobraría por un par de botas y ella respondió que 3 chivos, 2 chivas, 3 carneros y muchos animales de pluma, pues como sus pies eran grandes llevaban más recursos.

El lobo convencido con las palabras de la zorra, se mostró conforme. Fue de caza y tuvo la suerte de encontrar todo, lo entregó a la zorra y preguntó:

—¿Cuándo tendré mis botas?

Y ella respondió que en 15 días. Pasaron los 15 días y el lobo fue a buscar sus botas pero la zorra no apareció. Un día por casualidad se topó con ella cara a cara y cuando el indignado preguntó por sus botas, ella respondió con dulzura:

—No se enfade, compadre lobo, es que el cuero de buey es muy duro y por ello necesito unos días más para curtirlo.

Sabiendo que su vida estaba en peligro fue a casa de Orúnmila por adivinación y sacrificó. Ella reunió a todas las zorras y les dijo que les enseñaría una danza que aprendió en un país, pero que era necesario que amarraran sus rabos unas con otras y cuando la operación fue hecha ella gritó:

—Oh, amigas, corran que vienen los cazadores.

Todas en la carrera perdieron el rabo.

Pasó el tiempo y cuando el lobo volvió a encontrar a la zorra fue a atacarla, pero ella le dijo:

—Amigo lobo, ¿qué le he hecho a usted para que este tan enojado conmigo? ¿No sabe usted que solo llevo tres días en esta tierra donde las zorras cortan sus colas?

Ella chifló y aparecieron todas las zorras mochas, por lo que el lobo quedó convencido que ella no era la zorra que lo había engañado.

REFRANES DE OGBÈ ÒKÀNRÀN

1- El calor no esta en la ropa, sino en el cuerpo.

2- La corriente no esta en el cuerpo, sino en el cerebro.

3- El hombre desaprueba lo que pueda realizar.

4- La muerte no puede después de comerse la comida de una persona, matarla.

5- El que habla de mal humor, con mal humor peca.

6- 16 cocos de agua no dan la esperanza de las 16 semillas de Ifá.

7- El agua del bosque es como el tinte de añil.

8- Con soberbia no se puede destruir lo que con sabiduría se creó.

9- El capricho no es obra de la inteligencia.

10- Quien se beneficia con la violencia, con violencia se perjudica.

OGBE YONO

Hablan: Orúnmila, Eshu, Oggún, Obatalá, Ajé

Los labradores y Abita

Orúnmila logró llegar a tierra de labradores donde Abita era el dueño de todos los terrenos y explotaba a todos de forma desmedida. Orúnmila al igual que todos pidió una parcela para sembrar a la mitad con Abita, solo puso por condición que todo lo que creciera por encima de la tierra fuera para él y lo de abajo de la tierra fuera para Abita.

Orúnmila sembró trigo y Abita solo obtuvo raíces. Al año siguiente Abita invirtió el contrato y Orúnmila sembró ñames en grandes cantidades por lo que Abita solo recogió hojas y tallos. Abita al ver que había sido engañado lo retó a pelear con sus garras, Orúnmila hizo ebbó y amarró a un rinoceronte herido bajo un árbol, cuando Abita llegó preguntó al rinoceronte por Orúnmila y este dijo:

—Fue a afilar sus garras después de la pelea que tuvo conmigo, pues tiene otra pelea.

Abita asustado se fue y nunca más regresó.

El maíz y los cortesanos

Orúnmila llegó a un reinado donde el rey era un celoso enfermizo y tenía por costumbre ponerse a escuchar de noche junto a las puertas para saber lo que ocurría. Una vez por el hueco de una cerradura pegó el oído y oyó a sus cortesanos conversando que muchos preferían dormir una noche con la reina a tener millones de reales. El rey loco de celo fue a casa de Orúnmila y sacrificó animales para hacer maíz en todas sus formas, después de ese día dijo que en su reinado solo era lícito comer maíz pero que había que hacerlo cada tres horas, al principio todo iba bien pero la gente empezó a dejar de comer y a pasar hambre. La gente fue a ver al rey, pues no creían merecer tamaño castigo y este les dijo:

—Esto es por decir que prefieren a mi mujer antes que al oro, maíz de cualquier forma es maíz y mujeres de cualquier forma son mujeres.

De ese modo todos quedaron curados de codiciar lo ajeno.

REFRANES DE OGBÈ EJÒ INÙ

1- Abre la boca. Habla fañoso. Calma nuestra hambre.

2- Las ovejas todavía están vistiendo su lana del año pasado.

3- La mejor fortuna: el tener, el poder y el saber.

4- El glotón agranda el vientre y achica su cabeza.

5- Chivo que rompe tambor con su pellejo paga.

6- Según los cocodrilos vivan en el río, así Ogbe Yono será eterno.

7- La oveja que se asocie a un perro, comerá estiércol.

8- El que lleve candela en la mano no puede esperar.

9- El que cometa adulterio con la esposa de un hombre siempre será su enemigo.

10- El dinero en el mundo lo encontramos, y en el mundo lo dejamos.

11- El hambre hace de un joven un viejo, un vientre viejo hace del anciano un bebé.

12- El ojo no mata al pájaro.

13- Cuando el chivo jíbaro esta vivo, el cuero no se puede usar para tambor, pero cuando muere, nadie vacila en usar su piel como tambor.

14- Olorun dijo al Oba yo recorro todo el mundo.

15- Cuando se conoce que uno mismo es la causa, no se le pregunta a otro si es feliz.

17- La orgullosa laguna se aparta del arroyuelo, como si el agua no fuera lo común entre ambas.

OGBE SA

Hablan: Shangó, Obatalá, Oddudua, Olokun, Oshún, Eshu, Yemayá, Osun, Olofan

El camino al infierno

Orúnmila en su peregrinación se topó con dos hombres que decían ser tan amigos que se llamaban hermanos. Orúnmila les aconsejó cambiar de rumbo pues iban camino al infierno, ellos se rieron y continuaron su marcha. Más adelante se encontraron un saco lleno de dinero y dijeron:

—Naturalmente aquel pillo iba en busca de una cabalgadura para llevarse este dinero. Quédate aquí mientras voy a buscar una cabalgadura porque no podemos con el saco.

El otro respondió:

—Trae además una garrafa de vino para beberla a nuestra salud.

El que había quedado dijo para sí:

—Cuando llegue apuñalaré su pecho.

El que iba por la cabalgadura dijo:

—Envenenaré el vino.

En cuanto se vieron uno apuñaló al otro y satisfecho por la ganancia tomó el envenenado vino y los dos fueron rumbo al infierno como Orúnmila lo había profetizado.

El anoncillo y la calabaza

Orúnmila adivinó en el cielo para la calabaza y el anoncillo, donde la calabaza al saber que tendría muchas semillas no sacrificó por lo que partió incompleta a su expedición a la tierra. El anoncillo sacrificó y partió. Orisha Oko plantó las dos semillas y al cabo de algún tiempo brotó la planta de calabaza con su enorme fruto y su débil tallo, después de algún tiempo surgió el anoncillo en enorme árbol con un fruto pequeño. Un día después de ardua jornada se recostó al árbol de anoncillo y comenzó a criticar la obra del Omnipotente:

—Si fuera yo, daría el fruto del anoncillo a la calabaza y el de la calabaza al anoncillo.

Así quedó profundamente dormido y al poco rato fue despertado en el momento en que un anoncillo caía sobre su cabeza. Entonces se levantó rápidamente y exclamó:

—Ahora entiendo qué equivocado estaba. Si hubiera sido una calabaza el fruto de este árbol, ¿dónde tendría yo la cabeza a esta hora?

Así comprendió que aun las cosas incompletas son voluntad de Oloddumare.

REFRANES DE OGBÈ SÁ

1- Obtiene la fanfarronería.

2- El que traiciona a su hijo, merece la misma forma que el carnero.

3- Aquel que desea la muerte de otro, es porque esta muerto.

4- Lo malo que hizo una vez no lo vuelva hacer.

5- La luz de la luna aclara, como los ojos de Olofin dan claridad a todos.

6- Árbol que nace torcido, jamás su tronco endereza.

7- Dos amigos no admiten un tercero.

8- Asusta pero no mata.

9- Cerramos el puño, para darnos en el pecho.

10- Cuando un padre de familia muere, en el hogar hay desolación.

11- Se puede ser más astuto que otro, pero no más astuto que todos los demás.

12- Si te comiste la salsa, te comerás el pescado.

13- Todos los animales no se amarran por el pescuezo.

14- Donde no hay mayores, no hay gobierno, por eso cuando no hay mayores las cosas no andan bien.

15- Por mucho que se disfrace el enemigo, con astucia se descubre.

OGBE IKÁ

Hablan: Orúnmila, Eshu, Oggún

El aura magnética

Orula fue mandado por Olofin a verificar la actitud de los awó en la tierra donde los awó adoraban más al dinero que a Ifá. Orula les profetizó que si seguían prostituyendo a Ifá sería el fin de la civilización.

Orula llegó al cielo comunicando lo ocurrido. Olofin con su ira mandó al chacal a barrer con el mal de la raíz. Cuando este llegó les dijo:

—No he de tener compasión con ustedes, pues tienen comida abundante, pero sus corazones están llenos de orgullo y se han olvidado de Olofin.

El chacal comenzó a despedazar a todo el que se encontraba a su paso, nada podía detenerlo, no había ejército capaz de detenerlo. Todos, ricos y pobres, enfermos y sanos, jóvenes y viejos, mujeres estériles o en cinta, justos e injustos, todos tenían un mismo problema. Pero nadie se acordaba de las palabras proféticas de Orula.

Una niña de sentimientos puros fue a ver a Eshu y protestó, pues no entendía justo lo que estaba ocurriendo. Eshu transmitió a Olofin, entonces Olofin emanó una luz sobre cada humano, la cual los circundaba derivando una gama de colores que solo podía ser vista por el chacal, según los colores que estos proyectaban así eran sus pensamientos, por lo que él sabía a quién atacar, de ese modo limpió Olofin la tierra de todo lo malo.

El pene y los testículos

En tiempos pasados Olofin creó al hombre y a la mujer pegados, carne con carne, por lo que se reproducían a través del tercer ojo, una vez al año sin placer alguno. Se alimentaban del ashé que está en el aire, no tenían que trabajar la tierra.

Pasaban los años y los hombres no se reproducían. En aquel tiempo Olofin vivía con sus ángeles y Abita era su preferido. Abita se ofreció para viajar a la tierra y resolver tal problema, cogió su espada y se llevó la semilla del deseo para estimular a los hombres. Abrió un hueco con su espada y plantó la semilla, y con la misma cortó los cuerpos separándolos en dos mitades distintas, con intereses y deseos diferentes.

Nació a cada cual los órganos sexuales y el placer por el sexo. Muy pronto comenzaron a reproducirse pero junto a esto llegó el vicio, la promiscuidad, la prole del hombre heredó sentimientos tales como soberbia y envidia.

Los hombres arrastrados por la pasión comenzaron a dormir en casas ajenas.

Las mujeres aprendieron que poniendo carne de res en obó y dándolo de comer retendrían a sus maridos. Pero los hombres hicieron abuso de su naturaleza y debilitaron sus cuerpos. Muy pronto estaban en las mismas de antes.

Olofin mandó a Orula con semillas de nueces de palma y mediante el oráculo de esta pudo adivinar y regenerar a los hombres los que aceptaron sus preceptos y se salvaron.

REFRANES DE OGBÈ ÌKÁ

1- Esta descubierto.

2- No lleva la cosa.

3- El mayor que se propasa en exceso, pierde todo el respeto y prestigio.

4- Si usted quiere ayudar a otra persona, hágalo completo.

5- Para sentenciar un juicio, hay que oír las dos partes, o sino no se meta en el enredo.

6- Cuando se fajan dos carneros, uno tiene que perder.

7- Dos carneros no beben agua en la misma fuente.

8- El calumniador es un hombre con un puñal en la frente.

9- Cuando se le hace un traje a un vago, se le debe teñir de negro para que no se le vea la suciedad.

10- El que tiene buena cabeza cuida a su sostén, el cuerpo.

11- Cuando el cuerpo envidia, la cabeza sufre el percance.

12- Cuando la aguja se le cae al leproso, se esfuerza para volver a apoderarse de ella.

13- El único que vence la epidemia, es aquel que usa su capacidad y no se infecta.

OGBE TUMAKO

Hablan: Orúnmila, Eshu, Kebioso, Oggún, Obatalá, Ajé

Los 401 amigos de Orúnmila

Orúnmila debía ir al cielo en busca de dones espirituales; tenía dos hijos en la tierra y desconociendo cómo compartir su herencia, dio al primogénito todo cuanto poseía de valor material y al menor dejó la amistad de 401 ahijados.

El hermano mayor entró inmediatamente en posesión de su herencia, y se reía a escondidas de la herencia del menor, el cual se puso a llorar sentado al borde de un camino.

En eso pasó un caminante y preguntó al muchacho por qué lloraba. Él contó lo ocurrido a lo que el hombre preguntó:

—¿Y quién era tu padre?

El muchacho dijo Orúnmila y este respondió:

—Él era mi amigo.

Llevó al muchacho a su casa, le dio pan y un caballo.

Tres días después el muchacho tenía 401 panes y 401 caballos mientras que su hermano lo había perdido todo en orgias.

El rapto de la novia del rey

Cuando Orúnmila regresó del cielo con sus dones llegó a una tierra donde el rey iba a casarse y la novia se decía había sido arrancada por siete demonios, siete leguas mar adentro. El rey prometió gran fortuna a quien le trajera de regreso a su novia, pero nadie se presentó. La gente de aquel pueblo fue y le contó al rey que había cierto forastero que estaba presumiendo de tener dones para regresar a su novia.

El rey lo mandó a buscar a su novia bajo la pena de muerte, él sacrificó y partió montado sobre un caballo de su hijo menor. El mar se abrió en presencia de todos, Orúnmila cabalgó llegando hasta la novia y regresándola a la playa. La entrega al rey, quien lo colmó de riquezas y lo nombró adivino de su reinado.

REFRANES DE OGBÈ TÓMOPÒN

1- Sujeta el hilo a la espalda.

2- Explica la muerte.

3- Pon a tu hijo sobre la espalda, y atiéndelo al instante.

4- Cuando un niño llora, él hace llorar a su madre.

5- Nadie pudo hacer el ñame, más que Dios mismo.

6- Quien pisa con suavidad, va lejos.

7- La guerra se gana con buena estrategia, pero por la fuerza se pierde.

8- Al que pidan un fósforo debe antes pedir un tabaco, si no se irán con su candela sin recompensa.

9- Es mejor dar que recibir.

10- El fuego consume solo lo que esta a su alcance.

11- El que busca la enfermedad se encuentra con la muerte.

OGBE TUA

Hablan: Eshu, Orúnmila, Oddudua, Igba Iwa, Odus, Obatalá, Iroko, Oggún

La tinaja del cielo y la del infierno

Orúnmila llegó a una tierra donde Oggún no paraba de hacer guerras, por lo que nadie tenía trabajo ni alimento. Todos los irúnmole trataban de apaciguarlo pero dijo que solo se detendría si alguien le traía dos tinajas de agua, una del cielo y otra del infierno.

Orúnmila sacrificó y subió a lo alto de un cerro para hablar con Olofin. A su derecha aparecieron muchas palomas y a su izquierda muchos cuervos, de sus buches vomitaron agua para llenar las dos tinajas. Él mostró sus tinajas a Oggún y terminaron los conflictos en aquella tierra donde reinó la paz.

La pérdida de la memoria

Orúnmila llegó a cierta tierra donde los hombres no podían casarse porque el rey no tenía reina y lloraba, debido a que a los siete años de mandato su memoria y la de todos en su reinado fue arrojada al fondo de un pozo. Como nadie sabía quién era su verdadera familia el rey hizo ilegales los matrimonios. El rey mandó a buscar a Orúnmila y le explicó que su pueblo al no procrear pronto desaparecería.

Orúnmila sacrificó y fue al pozo donde tocó su campana, enseguida muchos peces llegaron y por último una sardina, la cual pedía disculpas por llegar retrasada pues una piedra había lastimado su boca. Orúnmila pidió que le trajera esa piedra y sacrificó una paloma desde la cabeza del rey a la piedra, después limpió su cabeza y todos recuperaron la memoria. De ese modo pudo reiniciarse la procreación y se salvó aquella tierra.

REFRANES DE OGBÈ ÒTURA

1- Tiene posición ventajosa.

2- Sabes, piensa.

3- El cuerpo peligroso.

4- La tierra pudre pero no muere.

5- Ya bebí, ya comí, canta la codorniz cuando esta repleta.

6- Da una cosa y toma otra.

7- Una flecha no mata un pensamiento.

8- Un mayor que se propasa en exceso, pierde todo respeto y prestigio.

9- El cangrejo construye su casa pero no tiene tiempo de ponerle techo.

10- La jicotea siembra frijoles, pero no tiene tiempo de re cogerlos.

OGBE ATÉ

Hablan: Oddudua, Igba Iwa, Odus, Obatalá, Oshún, Eshu, Osain, Oggún, Shangó

La bruja y la reina

Orúnmila llegó a un reinado donde trabajó duro e hizo muchos milagros despertando el celo de las brujas. La bruja de palacio pidió al rey que encendiera dos hornos para quemar a Orúnmila, pues algún día lo sustituiría y pidió asistir a la ejecución. Por más que la reina imploró y repetía que Orúnmila era hombre bueno el rey no desistió.

Orúnmila imprimió los odu del ashé en agua dentro de una palangana y ahí se hizo ebbó pudiendo llevar una bolsita en cada bolsillo; una la derramó al llegar y todos se mofaron pues pensaron se había orinado. Ante que la orden fuese dada la bruja buscó un pretexto para que el rey la acompañara a chequear los hornos y en un momento de descuido el rey resbaló y cayó dentro de un horno. Tocó el turno a Orúnmila y él derramó la segunda bolsa de modo que pudo salir ileso sin quemaduras. La reina al ver aquello lo declaró inocente y se enamoró de Orúnmila convirtiéndose en una fiel esposa.

De princesa a emperatriz

Orúnmila llegó a un reinado donde el rey tenía tres hijas que eran las niñas de sus ojos. Se estableció en una cabaña del bosque. Un día después de una fiesta preguntó el rey a sus hijas qué habían soñado para concedérselo. La mayor soñó casarse con un príncipe. La del medio soñó con otro príncipe. Pero la

45

menor soñó que se casaba con un emperador y que siete reyes incluyendo su padre inclinaban su frente y besaban su mano.

Cuando la menor relató su sueño el propio padre la mandó a echar al bosque a merced de las fieras. Ella aprendió a vivir sobre los árboles para escapar de los colmillos de las fieras. Un día vio una casita y fue hacia allá donde encontró comida abundante y después de saciar el hambre se puso a limpiar. Cuando llegó un anciano (Orúnmila) el cual la acogió y logró que todos la respetaran.

Orúnmila le hizo ebbó y por aquella zona pasó un emperador de cacería, verla y enamorarse fue una misma cosa, tanto que fue a pedir su mano a Orúnmila pues pensó que era su padre. El día de la boda comparecieron siete reyes, los que inclinaron su frente para besarle la mano. Después del banquete ella contó su historia, el padre pidió perdón a su hija y todo quedó en paz.

REFRANES DE OGBÈ ATÈ

1- Es aplanado el sendero del logro.

2- Divisa la corona, pero no la alcanza.

3- La comadre compra escoba nueva.

4- La lengua perdió la cabeza.

5- La capacidad del inteligente es la espada que conquista sus metas.

6- Mientras la comida no esta cocida, no se saca del fuego para comer.

7- Un hombre trabajador, rara vez esta necesitado.

8- El que puede hacer algo mejor que lo que hace y no lo hace es el mayor de los vagos.

9- El que tiene sus brazos y no trabaja, es el padre de la haraganería.

10- El hombre simple ama su simpleza, el hombre rico ama su riqueza.

OGBE SHE

Hablan: Eshu, Obatalá, Orúnmila, Oshún, Osain, Ti-Ilé, Oggún

La hija del marinero

Orúnmila se enroló de polizón en un barco y al poco tiempo era amigo de todos. El capitán del barco comerciaba con el mundo entero y tenía muchas riquezas acumuladas. Pero estaba casado con una joven que no le daba hijos, por lo que buscó la ayuda de Orúnmila donde le fue dicho que tendría una hija que a los 14 años sería ladrona, borracha y mujer del mundo, aun así sacrificó para tener descendencia.

En cuanto nació la niña la encerró en la torre del faro y dijo a todos que ella había muerto. Pasó algún tiempo y él tuvo que salir de viaje y su mujer para sorprenderlo mandó a pintar el faro donde descubrió a la niña que era alimentada por su ángel.

Ella sacó a la niña del encierro diciendo a todos, incluso al padre, que era su ahijada. Cuando estaba próxima la fecha de cumplir 14 años la niña dijo:

—Tengo unas ganas de robar.

Y la madrina se puso de acuerdo con una vecina para que ella robara en su casa y después lo devolvió todo. Al otro día dijo que quería vino y ella le facilitó el vino hasta que se hastió del mismo. Después deseó acostarse con un hombre y ella le facilitó un comerciante rico del cual salió preñada y tuvo un hijo varón, y para tapar la falta dijo que era del marinero con su esposa. El padre enterado de lo ocurrido fue a ver al comerciante quien gustoso se casó con su hija en lujosa fiesta.

El monstruo de la tierra

Cuando Oloddumare creó al primer hombre se presentó Abita lleno de celos y envidia diciendo que él podía hacer una obra mucho más perfecta. Oloddumare le dio poder para dar vida a lo que creara. Le puso cabeza de caballo, ojos de elefante, cuerno de antílope, cuello de toro, pecho de león, piernas de avestruz y vientre de escorpión.

Abita trabajó en los infiernos, limando, aserrando, cortando, pegando y colocando los pedazos hasta que salió de sus manos un asqueroso animal que se arrastraba por el suelo y para completar su obra le puso alas saliendo de sus garras un saltamontes.

—Aquí esta mi creación.

Y Oloddumare dijo:

—Como prueba de tu maldad, ordeno que este animal pulule sobre la faz de la tierra, pues resume a todos los monstruos de la tierra.

REFRANES DE OGBÈ ÒSHÉ

1- El que tiene trabajo y dejó algo que hacer.

2- Mentiroso revolucionario.

3- El hombre moral su espíritu no muere.

4- La carreta va delante de los bueyes.

5- El que no tiene virtud, se desprecia más que el que tiene un vacío.

6- Rey que camina en el mundo sin corona es súbdito.

7- Las casas vacías no son hogar.

8- Las plumas de loro vienen de la cola pero van a la cabeza.

9- Sobre el conocimiento que el necio aborrece, el sabio medita.

10- Quien no escucha los consejos del adivino puede consi derarse esclavo.

OGBE FUN

Hablan: Obatalá, Oloddumare, Eshu, Orúnmila, Oggún

La promesa al ídolo

Orúnmila llegó a una tierra en la cual adoraban a un ídolo que era una enorme estatua con la boca abierta. Orúnmila predicó su doctrina y nadie le hizo caso. Ellos se pusieron a hablar frente a la estatua y uno de ellos dijo que el ídolo tenía la boca abierta pues padecía hambre y nadie lo alimentaba.

—Pues si quiere comer que vaya a mi casa.

El que dijo esto era muy pobre. Por la noche cuando llegó a su casa, sintió tocar a la puerta y era el ídolo que pidió de comer, él tuvo que decirle que era muy pobre y no tenía qué dar.

—Pues sal por el mundo a pedir algo para darme de comer.

Al cabo de mucho tiempo el pobre se hizo rico y un día regresó al templo recordando la promesa hecha al ídolo y este cayéndole encima, lo mató.

Donde la mujer cambió su cabeza con Abita

Orúnmila llegó a una tierra donde las mujeres siempre estaban peleando con Abita. Orúnmila les dijo que sacrificaran para que no perdieran la cabeza, pero ellas se rehusaron. Todos los irúnmole fueron a separarlos pero no lo lograron.

Oloddumare mandó a Oggún y como tampoco lograba nada sacó el machete y le cortó la cabeza a la mujer y a Abita.

Cuando regresó contó lo ocurrido a Oloddumare y este respondió:

—Yo no te dije que hicieras eso. Vuelve a poner las cabezas en sus lugares.

Oggún salió a cumplir la orden, pero al colocar las cabezas sobre los hombros se equivocó y puso en el cuello del Diablo la cabeza de la mujer y en el cuello de la mujer la cabeza del Diablo. Es por ello que algunas tienen la cabeza ligera hasta el día de hoy.

REFRANES DE OGBÈ ÒFÚN

1- El que ahoga el cuerpo no mata al espíritu.

2- Las palabras se las lleva el viento.

3- Los jóvenes nunca oyen la muerte del paño y esto se convierte en jirones.

4- Para ser respetado, primero hay que respetar.

5- El respeto engendra respeto.

6- La cortesía no cuesta nada, cada humano es digno de respeto.

7- La bendición de Olofin, no puede ser forzada.

8- Con la luna o sin ella el obbá será respetado cuando se le encuentre.

9- Eso que tú quieres, otro lo rechaza.

10- El hombre y la familia son como el río y el cauce.

11- El río abre el cauce y este esclaviza al río.

12- Lo que uno se encontró, al otro se le perdió.

13- Ni sabio ni ignorante, pueden decir, que no encontraron un bastón en el monte.

14- Cualquier repicar de campanas espantará la muerte o espíritus diabólicos.

15- Los menores remplazan a los mayores.

16- Entre mayores no hay diferencias, si existe el respeto mutuo.

OYEKÚN MEYI

Hablan: Ikú, Eshu, Ibbeyis, Babalú Ayé, Orúnmila, Shangó, Olofin

El condenado a muerte

Orúnmila llegó a una tierra y al primero que adivinó fue a un humilde matrimonio de campesinos que vivían muy tristes y constantemente pedían a Olorun un hijo. Orúnmila le dijo que tendrían un hijo que solo permanecería 20 años en la tierra. Nació el niño y a medida que iba creciendo, aumentaba la angustia de sus padres. Ella regresó a casa de Orúnmila por adivinación y le fue recomendado que todos los días diera la bendición a su hijo llena de júbilo y no de tristeza.

Orúnmila sacrificó y le recomendó que siempre tuviese en el bolsillo una tijera.

El joven que intuía el fin de sus días se fue de la casa justo el día antes de cumplir los 20 años y se acostó bajo un árbol en espera de la muerte. Él vio como una cuerda descendía y se enroscaba en su cuello. En eso se acordó de la tijera y cortó la cuerda. Durmió bien y al otro día despertó sano y salvo. Regresó a su casa y encontró a sus padres y novia de luto, todos se alegraron gracias a Orúnmila.

La mujer y la sal

En los primeros tiempos del mundo el agua de mar no era dulce y la sal era escasamente extraída de las minas por lo que era muy cara. Habían dos hermanos casados, uno rico, pues tenía una mina de sal, y otro pobre. Un día el pobre fue a ver al rico por ayuda y este como de costumbre le dio un cuarto de res. Cuando el pobre llegó a casa la mujer inconforme comenzó a pelear:

—Mira lo que nos mandó. Solo manda carne y no manda pan. Quiere que tus hijos no coman pan. Yo no quiero esa carne en mi casa. Llévala al Diablo, a los infiernos, estoy segura que él será más generoso que tu hermano.

El marido echó la carne a cuesta y salió a caminar en busca del infierno. Y andando llegó a la cabaña de Orúnmila donde sacrificó para encontrar el camino del infierno. Orúnmila le dijo:

—Más adelante encontrarás una puerta de hierro; toca y espera. Si te mandan a entrar no entres entrega la carne y márchate sin mirar atrás.

Él hizo tal y como Orúnmila le había dicho y el Diablo le dio un diminuto molino, al cual cuando le decían:

—Molino Diablo dame tal o más cual cosa. Comenzaba a producir en cantidades industriales hasta que le dijeran:

—Molino Diablo para.

En poco tiempo ya era más rico que su hermano, que se sentía contento con la prosperidad del otro.

La mina de sal se agotó y la mujer del antiguo pobre comenzó a producir sal y pareciéndole poco compró un enorme barco y se lanzó a exportar sal al extranjero.

Ella cargó tanto el barco de sal en una producción en alta mar que el barco se hundió y todos perecieron pero aún sigue produciendo sal y por eso todas las aguas del mar son saladas hasta nuestros días.

REFRANES DE BABA ÒYÈKÚ MÈYI

1- El ojo no puede ver a través de un pañuelo negro cuando la noche es negra.

2- La vida no se altera al igual que la madre lagarto no se vestirá jamás de un solo color.

3- Un caimán enorme no puede coger el racimo espinoso de la mata de ikines y comérselo.

4- Oyekún es bueno pero no abuses.

5- El humo es la gloria del fuego, el relámpago la gloria de la lluvia y un gran paño la gloria de Eggún.

6- Los secretos no se pueden confiar a las mujeres porque ellas rompen los juramentos.

7- El sol calienta el fondillo del labrador, pero no puede calentar la cara ni el fondillo del adivino.

8- La palma es su mejor testigo para llevar la cabeza sobre los hombros.

9- Un nudo hecho a una soga no le quita la fuerza.

10- Las gotas de agua nunca caen solas.

11- La sabiduría de viejo es como barro mojado, si saltamos sobre él podremos resbalar y rompernos la cabeza.

13- El fango, la cara del castigado y el lomo del agricultor son clientes, pero la casa de Ifá es fresca.

14- Hay quien vive en la oscuridad cuando Olorun lo rodea luz.

15- Al hombre su sombra jamás lo abandona.

16- La muerte nunca regresa de cazar sin traer su presa.

17- La muerte produce vida.

18- No subestime la sabiduría de los demás.

19- Lo que no se termina no da comienzo.

20- El muerto al hoyo y el vivo al pollo.

21- La muerte nunca muere.

22- Flecha entre hermanos.

23- La curiosidad trae desgracia.

OYEKÚ BOGBE

Hablan: Olofin, Eshu, Obatalá, Shangó

La puerta de la luz

Oshún y Yemayá eran hijas de Olorun. Oshún vivía feliz con Shangó de quien estaba enamorada.

Pero ocurrió que Yemayá comenzó a ver lo feliz que era su hermana y sedujo a Shangó, que siendo hombre rico suplía todas sus carencias.

Oshún enterada fue a ver a su hermana y maldijo su vientre, así:

—Solo deseo que nunca puedas ser madre para que no sufras el infierno que por ti estoy viviendo.

Olorun escuchó la maldición y después de amonestar a Oshún se ocultó lleno de bochorno creándose el caos. La muerte, la enfermedad, y la tragedia gobernaban en la tierra. Orúnmila hizo adivinación y sacrificaron.

Eshu fue y contó a Olorun la agonía de Oshún en su estado de gravidez, Olorun penitenció a Yemayá a custodiar la puerta de la luz aclarando el día con los rayos del sol e iluminando las noches con osucuan. Yemayá inconforme fue a casa de Orúnmila por adivinación y lloraba, pues no entendía su destino. Ella sacrifico y logró que su padre la perdonara, pero nunca pudo lograr el perdón de su hermana.

La copa real

Era un rey que no encontraba esposa adecuada para su hijo y fue por adivinación. También un campesino muy pobre fue por adivinación y sacrificó antes de ir de pesquería teniendo la suerte de pescar un cajón que abrió en su casa y tenía una princesa dormida con una bolsa de dinero a sus pies.

Ella le explicó que estaba enferma por hechizo y si salía del cajón moría. Cuando el dinero se acabó la princesa dio una nota que decía ser lanzada al mar y el pescador la siguió en su bote. Del mar emergió una reina y le preguntó:

—¿Mi hija está en su casa?

—Sí —contestó el pescador.

Y ella le dio otra bolsa con dinero.

La princesa orientó servir una mesa con las exquisiteces de un rey. Ocurrió que el monarca estaba de cacería y llegó a casa del pescador donde este por cortesía lo invitó a almorzar. Ellos comieron y bebieron, pero el rey quedó sorprendido pues estaba reservado el lugar de la copa real, por lo que preguntó.

—¿Tienes alguna persona real en tu casa?

Cuando el rey vio a la joven trajo a su hijo y se enamoraron, entonces ocurrió la dificultad que ella no podía salir del cajón ni él entrar. Ellos hicieron adivinación y sacrificaron, así lograron ser felices y nada pudo separarlos.

REFRANES DE ÒYÈKÚ NI LOGBÈ

1- En los ojos del joven arde la llama, y en los ojos del viejo brilla la luz.

2- Cosa trocada en reunión se revuelve.

3- Lo que se perdió hace tiempo, va a aparecer.

4- La gente de este mundo no se junta con la del otro mundo.

5- Nada de lo que haga en la ciudad le será beneficioso.

6- El que hace de cabeza de cola nunca descansa.

7- Lo que consigues aquí, aquí se queda.

8- Las cabezas huecas son territorios de maldad.

9- Por mucho que se sepa, siempre algún conocimiento nos falta.

10- Nunca las cosas vuelven a ser igual.

OYEKÚN WORI

Hablan: Orúnmila, Shangó, Oshún, Abikú, Olofin, Ibbeyis

El güiro de la salvación

Orúnmila llegó a una tierra donde cierta mujer sufría por la desaparición de su hijo y esposo, ella lanzó una maldición y nunca más llovió, creándose el caos. Orúnmila hizo adivinación resultando que el padre del crío al ver el cariño que ponía la madre en el hijo sintió celos y huyó al monte. La falta de alimento y las inclemencias del tiempo, produjeron la muerte del crío, él para ocultar su delito, tomó un gran güiro y colocó el cadáver colgado en la rama de una ceiba.

Orúnmila descubrió todo y cuando ella fue a colocar su ebbó el güiro cayó. Ella al ver el cadáver de su hijo comenzó a llorar con tanta emoción que llenó una laguna. Del güiro emanaron cientos de peces, tortugas, cangrejos, etc.

Así floreció la nueva vida en aquella tierra.

Las siete hijas de la luna

Hubo un tiempo en que solo había hombres en la tierra y Orúnmila estaba muy solo. Él sacrificó y el rayo de luna se proyectó en el canistel y surgió una mujer bellísima. Ellos tuvieron seis hijos: el primero fue cazador, el segundo pescador, el tercero agricultor, el cuarto ganadero, el quinto minero y el sexto fue adivino. Ellos muy pronto se hicieron hombres y comenzaron a sentirse invadidos por la tristeza, el desánimo les hacía indiferente la vida.

Ellos no tenían compañera a la que acariciar y de la cual recibir caricias, no tenían a quien contar sus penas, alegrías o ilusiones, en fin, eran infelices.

Orúnmila notó el desaliento de sus hijos y los llevó ante el árbol de la vida, allí sacrificó y seis rayos de luna fueron proyectados sobre seis frutos, de los que surgieron seis bellas jóvenes, las cuales se desposaron con los hijos de Orúnmila y poblaron la tierra.

REFRANES DE ÒYÈKÚ ÌWÒRÌ

1- Pagan los justos por los pecadores.

2- Más vale comer poco todos los días que mucho una sola vez.

3- El barco sale de recorrido, pero regresa como el acero a la vaina.

4- Codicia entre hermanos: beneficio al extraño.

5- La muerte como la vida son cosas de Dios.

6- Quien clama solo cuando necesita, encontrará oídos sordos.

7- Quien no escucha el consejo del anciano comerá el fruto de su conducta.

8- El mal no hace mella en el hombre que cultiva su entendimiento.

9- La prosperidad es el premio al corazón generoso.

10- La discreción vela por el discreto.

OYEKÚN DI

Hablan: Orúnmila, Inlé, Oggún, Olofin

El bochorno de Oje

Orúnmila llegó a una tierra donde el joven Oje se disponía a casarse y no hizo adivinación. Eshu le dijo que no fuese ruin y sacrificara o le pesaría, pero él no escuchó. En aquella tierra existía la costumbre que las mujeres al otro día de la boda, al perder la virginidad, colocaban una bandera en la puerta de su casa, a partir de ese momento era considerado consumado el matrimonio. El día de la boda Oje no pudo tener sexo con su mujer pues su pene no funcionó y la novia no pudo sacar la bandera, pasaron los días y todo seguía igual, la gente comenzó a murmurar y Oje no le quedó otro remedio, abochornado que abandonar aquella tierra.

Hablar bueno

Los pensamientos egoístas de los hombres afectaron tanto al mundo que en este no había fertilidad. A Orúnmila se le dio la misión de ir a componer la tierra y Olofin le preguntó qué tiempo le tomaría y él no contestó. Orula llegó a una estancia y al preguntarle su nombre dijo Oju Ekun (ojos de tigre). Y le preguntaron cuál era su oficio alegando que habla bueno (profetizar la verdad). Entonces hable para escucharle donde Orúnmila exigió dinero sobre la estera y comenzó a hablar así:
—Ustedes han perdido el sentido de la vida y viven por vivir, pues no miden sus actos, es por eso que nada procrea.

Ellos sacrificaron y se restableció la procreación. Orunla fue a otra tierra y al regresar ya los jóvenes no lo conocían, los ancianos no lo recordaban solo uno lo reconoció como salvador de su generación y explicó a los demás, todos comenzaron a pedirle cosas fuera de sus destinos y Orúnmila respondió que eso no estaba en sus manos sino en el ajuste que ellos hicieron en el cielo con Oloddumare. Como ellos se revelaron contra Oloddumare, Orúnmila regresó al cielo y Oloddumare lo regresó diciéndole que no volviera hasta que no compusiera el mundo.

El aislamiento

Orúnmila cansado del pésimo agradecimiento de la gente se fue a vivir a una cueva bajo tierra donde comenzó a llorar su frustración. Ikú salió al camino y se hacía pasar por un hombre muerto el cual aparecía colgado a un palo untado en ajonjolí, echándole garras a todo el que por su lado pasaba. La gente iba a la cueva y le suplicaba a Orúnmila y este dijo:

—Traigan a sus hijos para consagrarlos en Ifá y ellos mismos salvaran a su pueblo, pues a esa tierra yo no regreso más.

REFRANES DE ÒYÈKÚ ÒDÍ

1- El mundo esta malo y Dios mandó la ley para arreglarlo.

2- Diga siempre la verdad para que Oloddumare dé la suerte.

3- No se precipite para cuando usted llegue, lo que vaya a suceder ya haya pasado.

4- Si los padres no sirven, de lo demás nada.

5- Todo principio llega a su fin para recomenzar.

6- El que escucha y cumple la ley resuelve sus problemas.

7- El que hace mal no recibe bien.

8- Para nacer hay que morir.

9- La mujer que deja al compañero de su juventud muere sola.

10- La integridad asegura los pasos del recto sobre la tierra.

OYEKÚ IROSO

Hablan: Orúnmila, Olofin, Babalawó, Shangó

El pacto de vida temporal

Ikú fue a ver a Olofin pues tenía hambre y lo convenció que los hombres estaban viviendo 900 y 600 años sobre la tierra donde muy pronto no habría espacio para todos. Olofin la autorizó a comer pero ella en su ansia desmedida barría con ciudades enteras donde la vida estaba a punto de extinguirse en la tierra. Los hombres fueron a ver a Orunla y este los sacudía con el iruke cosa que les alejaba Ikú momentáneamente, pero Ikú seguía atacando, Orúnmila cogió el oponfá y su irofá arremetiendo contra Ikú. Ikú en su huída cayó en un hueco y le decía a Orunla que ella solo quería comer pues tenía hambre. Hicieron un pacto que consistía en traerle comida al kutu, limpiarse con ella para que la comida tuviese olor humano y dársela sin mirarle a la cara, pero el primero olvidó el pacto y lo hizo de frente donde Ikú lo hizo caer al kutu y se lo comió, los demás sí se viraron de espaldas al kutu mientras se limpiaban cantaban:

Ilé oguere afokoyeri.
Ilé oguere Oloddumare.

Todos echaban bogbo adimu por entre sus piernas sin dar el frente al kutu y la Ikú solo veía a Eshuni Bako por lo que no podía hacerles nada.

Olosi y Beyila

Olosi era un rey tirano, tenía una hermosa hija en edad casamentera, muchos la pretendían pero Olosi dijo que solo aceptaría al que tuviera poder de adivinación y demostrara valor. El joven Beyila que pretendía a la princesa, fue por adivinación a casa de Orúnmila y sacrificó. Al salir de allí se topó con Eshu que le dijo:

—Dentro del cofre no hay nada.

Cuando Beyila llegó a palacio Olosi le preguntó qué había dentro del cofre y él respondió que nada. Entonces le puso otra prueba que consistía en pasar el río, ida y vuelta, donde Olosi tendría dos guardieros que tratarían de arruinar su intento. El río era enorme y los agentes le sujetaron los pantalones al ir y él se los quitó (ordenado por Orúnmila). Al regreso los agentes trataron de aguantarle la camisa y también por orden de Orúnmila se despojó de ella. Beyila se casó con la princesa y esta parió jimaguas, cosa que hizo desaparecer a Olosi de aquella tierra quedando Beyila como rey.

Ekuru e Ikin

Ekuru la madura semilla de la palma aceitera fue a casa de Orúnmila, pues quería escapar de Ikú. Se le marcó sacrificar cuatro palomas pero desconfió del conocimiento de Orúnmila y no sacrificó. Se fue a lo alto de la palmera a reírse de lo adivinado por Ifá. Eshu que lo escuchó le dijo:

—Te crees seguro allá arriba, pero pronto verás lo que es bueno.

Eshu fue a casa de Orúnmila y le contó todo lo ocurrido. Este llamó a Osain con todos los orishas, todos fueron a casa de Ekuru, cortaron sus racimos, usaron su aceite y lo demás lo tomaron para hacer ebbó, nunca más fueron utilizados para la adivinación pues Orúnmila los maldijo. Ikin la semilla de palma no aceitera fue a casa de Orúnmila y sacrificó logrando abrir cuatro ojos y llegando a ser la herramienta más eficiente para la adivinación de Ifá, desde ese día todos la adoran, cuidan y alimentan.

REFRANES DE ÒYÈKÚ ÌRÒSÙN

1- Tenga siempre buena forma, hasta para cobrar si le deben.

2- El que duda no tiene seguridad.

3- El mal engendra el mal.

4- La noche no deja reposar al día.

5- Quítese la Ikú, y quítatela tú.

6- El que mantiene los ojos cerrados no vive la realidad.

7- El sueño de la noche no es la realidad de la mañana.

8- Honra a las deidades con tu conducta y estarán siempre de tu lado.

9- El ángel reprende porque ama y se deleita en instruir.

10- Quien surca el saber tiene en su mano derecha larga vida y en su izquierda la riqueza.

OYEKÚ OJUANI

Hablan: Eshu, Sakpata, Shangó, Oggún

La bruja de la noche

Orúnmila adivinó para Yemowo hermosa, presumida, parlanchina, mestiza muy dada a engalanarse con prendas, vestir con vivos colores para distinguirse de las demás mujeres, con pasión del canto y del baile, y Orúnmila le recomendó que nunca se comprometiera en matrimonio.

Al poco tiempo ella fue cortejada por Orishanlá con el cual unió sus destinos con el fin de formar un hogar modesto y apacible. Pero muy pronto ella dejó de contentarse con eso. No había nacido para llevar una vida tranquila al cuidado de la casa y la prole. Amaba demasiado las diversiones y los placeres. Al poco tiempo el hogar era un martirio y apenas había dado a luz al primer hijo pudo más el instinto de mujer que el de madre y empezó por ausentarse un rato del hogar, después fue más larga su ausencia, hasta llegar a estar más tiempo fuera que dentro, mientras su hijo permanecía abandonado.

Cuando la tarde caía regresaba antes que Orishanlá volviera de ganarse el sustento. Así parió seis hijos que crecieron en total abandono, adquiriendo malos hábitos. El llanto de los niños molestaba tanto a Osain que los convirtió en arbustos de guao. Cuando Orishanlá supo lo ocurrido transformó a Yemowo en mariposa bruja de la noche, repudiada por ser portadora del mal augurio, la que recuerda a las madres sus deberes con sus hijos.

El come candela

Orúnmila andaba de peregrinación cuando conoció en el camino a un hombre llamado Ego. Los dos iban al mismo sitio, por lo que decidieron hacer el viaje junto. Siguieron la marcha y Orúnmila le dijo a Ego que levantara una piedra para coger el dinero escondido debajo. Ego llenó su saco hasta el último centavo y Orúnmila le dijo:

—Amigo, deja algo para el que venga atrás.

Y Ego respondió:

—Que coma candela el que venga atrás.

Al poco rato Orúnmila lo invitó a comer y notó que Ego comía hasta por los ojos y no bastándole recogía las sobras para el camino, por lo que le dijo:

—Amigo, deja algo para el que venga atrás.

Y Ego le dijo:

—Que coma candela el que venga atrás.

Eshu que todo lo ve, puso una piedra en el camino de Ego y este se lesionó una pierna, la cual Orúnmila remedió un poco, dio la mitad del dinero y siguió adelante su camino con Eshu, quien se ofreció a seguir camino con Orúnmila. Al cabo de algún tiempo Ego no tenía dinero. Eshu cocinaba, ellos comían y bebían pero al final Eshu todo lo lanzaba al fuego, donde Ego solo encontraba la candela para comer.

REFRANES DE ÒYÈKÚ ÒWÒNRÍN

1- El que me ensucia no me puede limpiar.

2- Se fue el bueno y vino el malo.

3- A veces la enfermedad se llama incumplimiento.

4- Olori salva, Olori pierde.

5- Su mejor amigo es su peor enemigo.

6- El que caza sin motivo desperdicia vida.

7- Lo que deseches hoy lo necesitarás mañana.

8- El que hoy mal agradece mañana nadie le dará.

9- Las espinas del racimo de ikines parecen ásperas al abra-
zarlas pero no lo son.

10- Mientras los prudentes se unen los astutos se dividen.

OYEKÚN BARA

Hablan: Eshu, Obatalá, Olofin, Oggún, Shangó, Yemayá

El caballo del Rey

Orúnmila llegó a un reinado y adivinó para el fiel criado del rey llamado Verdad, él escuchó y sacrificó. El rey confiaba tanto en él que le situó el cuidado de sus caballos de raza lo cual era su delirio. El príncipe celoso un día comentó con su padre que el criado era como los demás y que un día le mentiría. A lo que el viejo rey dijo:

—Apuesto mi propia cabeza que es incapaz de mentir.

El príncipe comenzó a planear una trampa estudiando la personalidad del criado. El príncipe acordó con su propia hija, una hermosa joven de saya corta, bien escotada, el cabello sobre los hombros, para que lo hiciera mentir. Pues ella lo rindió a sus pies y le exigió que a cambio de su amor matara al caballo preferido del rey.

El príncipe fue y contó a su rey lo ocurrido y este llamó al criado para preguntarle por su caballo, donde el criado explicó todo sin omitir detalles y su debilidad ante las mujeres.

El rey dijo a su hijo:

—No te mando a decapitar, como habíamos apostado, porque basta con la deshonra de tu hija. Y a él no lo castigo porque su fidelidad es mayor que mi disgusto.

El odio del perro a la jutía

Orúnmila llegó al bosque y se topó con el perro que adivinó pero no sacrificó. Los animales del monte hicieron una fiesta con baile, tomadera y todo, pero a esa fiesta solo podían ir los animales de tarros. Ocurrió que el perro estaba enamorado de una chivita. Él se puso unos tarros postizos y entró a la fiesta. Pero la jutía que estaba en un palo, muy brava por no poder entrar, se puso a gritar que los tarros del perro eran postizos. Los animales sacudieron los tarros del perro y estos se cayeron y lo echaron fuera. Desde ese día ellos son enemigos y nada más que el perro ve a la jutía le parte para arriba a comérsela. Eshu fue a ver al hombre que hacía mucho tiempo quería atrapar a la jutía, y pactaron que le diera la eyé y se quedara con la eran.

REFRANES DE ÒYÈKÚ ÒBÀRÀ

1- El guapo amansa a otro guapo.

2- El caballo atiende solo a su amo.

3- La conversación que no produce acción es como el silencio.

5- El principio no es principio hasta que no comienza.

6- Quien no duerme tranquilo es que a algo teme.

7- No ataques al malicioso Eshu sabe lidiar con ellos.

8- La cárcel es para los que quebrantan la ley.

9- No niegue el bien a quien lo merezca, pero cuídate del desagradecido.

10- La violencia perdió al violento.

OYEKÚN PELEKA

Hablan: Eshu, Eggún, Shangó

El príncipe promiscuo

Orúnmila hizo adivinación al rey prohibiéndole al príncipe salir de palacio en siete días, el rey sabiendo lo desobediente que era su hijo mandó a poner soldados en todas partes, pues el príncipe era extremadamente promiscuo. Oggún siendo ya hombre mayor estaba impotente y notando que el vientre de su mujer crecía se puso en vela, sospechaba del príncipe al cual sorprendió bebiendo en una taberna. Osain y Eggún también estaban rastreando al príncipe por motivo similar. El primero que se topó al príncipe fue Eggún poniendo mal su cabeza. El segundo fue Osain llagando su cuerpo y el tercero fue Oggún quien lo mató.

La batalla entre la Diabla y Olokun

El Diablo había sido vencido por las deidades por lo que regresó a su casa con el fin de suicidarse. Su esposa la Diabla se ocupó del asunto, contaminó su sangre de las peores enfermedades y fue seduciendo uno por uno a todos los santos, tanto masculinos como femeninos, tomando agradable forma ante sus ojos. Orúnmila al ver que el único que quedaba era Olokun le hizo adivinación y sacrificio. Cuando la Diabla llegó al mar ya Olokun estaba avisado y no se dejó vislumbrar por la aparente belleza, la Diabla llena de ira comenzó a lanzar personas atadas al enfurecido mar, Olokun con su cola los devolvía. Orúnmila al ver que la batalla no se definía la golpeó con su opón y la lanzó con su irofa al mar, y como ella no sabía nadar murió.

REFRANES DE ÒYÈKÚ ÒKÀNRÀN

1- Cuando la suerte llega hay que aprovecharla.

2- La vida de los muertos esta en la memoria de Ifá.

3- No hay peor sordo que un iracundo.

4- La destrucción no produce restructuración.

5- De la nada comienza todo.

6- Lo que pueda hoy costar poco, mañana le costará mucho.

7- La bendición mora en casa del ecuánime, la maldición en casa del ateo.

8- Las divinidades se burlan de los burlones y compadecen a los afligidos.

9- El sabio hereda su honra, el necio su deshonra.

10- El malvado pierde el sueño si no hace caer a alguien, el justo solo duerme cuando el malvado es descubierto.

OYEKÚN TEKUNDA

Hablan: Orúnmila, Oggún, Obatalá, Oyá

Los chismosos

Olofin mandó a buscar a Orúnmila por la mortalidad en su tierra. Cuando Orúnmila llegó a la puerta le salieron el carnero, el chivo y la gallina diciéndole que se fuera que Olofin quería matarlo. Orúnmila se escondió en el bosque dentro de un ahuecado tronco. A los pocos días una embarazada fue por leña y al golpear el árbol con su hacha, este se convirtió en oro. Ella fue y lo denunció ante Olofin el cual le mandó un caballo blanco para que lo regresara. Cuando llegó después de un cortés recibimiento le preguntó el porqué de las muertes, a lo que Orúnmila respondió que era por los chismosos que estaban dentro de su casa (carnero, chivo y gallina) y por lo tanto había que sacrificarlos.

Orúnmila está desconfiado

Había un awó al cual Orúnmila siempre le aceptaba las proposiciones de sacrificios (ebbó), pues tenía la espiritualidad de Ifá. Los demás awó sintieron envidia y planearon envenenarlo. Olofin dio un banquete y los awó al no ponerse de acuerdo cada cual puso veneno en un plato. Oyekún Tekunda que había hecho adivinación puso comida en sus bolsillos y en un descuido echó su comida debajo de la mesa sirviéndose de sus bolsillos. Como habían muchos platos envenenados todos murieron, donde Oyekún Tekunda se

73

salvó por oír la palabra de Ifá. Desde ese día se prueba todo lo que se le pone a Orúnmila pues este desconfía.

REFRANES DE ÒYÈKÚ ÒGÚNDÁ

1- El que dice calumnias de otros rebaja su propio prestigio.

2- Un hombre puede arrepentirse de sus actos anteriores pero tiene que soportar sus consecuencias.

3- El atormentador hace que sus víctimas sean inflexibles.

4- El incendio en los campos no aflige a la paloma porque tan pronto ve extenderse las llamas se va para un refugio.

5- Quien queda de cabeza donde fue cola no es respetado.

6- Oído que oye todas las lenguas trastorna su cabeza.

7- No deje lo seguro por lo dudoso.

8- El perro tiene cuatro patas pero coge un solo camino.

9- La guerra produce la muerte.

10- Mientras unos destruyen otros construyen.

11- Nunca la discusión vence la razón.

12- La mejor arma sigue siendo la lengua.

OYEKÚN BERIKÚSA

Hablan: Orúnmila, Oyá, Oggún, Oshosi

El caballo mal agradecido

El caballo fue domesticado para trabajar y pasar largas jornadas tirando el carretón y hasta arando la tierra. Muchas veces dormía a la intemperie, bajo agua, sol, sereno, o en establo colectivo lleno de moscas y excrementos. Fue a casa de Orúnmila y sacrificó a Ipako. A los pocos días un entrenador de caballos para carreras al verlo corriendo lo compró y comenzó a entrenarlo, lo cuidaba, lo alimentaba; este llegó a ser ganador de varios trofeos, estaba tan bien que pasaba por casa de Orúnmila y no lo saludaba. Eshu al ver la arrogancia del caballo le echó una maldición y en plena carrera este se partió una pata volviendo al sucio establo y posteriormente al matadero.

Shangó venció la envidia

Shangó tuvo guerra con el hijo del Diablo pues tenían una plantación bananera a la mitad y solo la parte de Shangó era próspera, mientras que la otra era miserable. El hijo del Diablo, ciego de envidia, se armó y salió a buscar a Shangó, que encontró desarmado con el fin de matarlo. Shangó echó a correr y cuando tenía distancia se ocultó en lo alto del álamo. El hijo del Diablo quedó asombrado de cómo lo había perdido ante su vista, oportunidad que aprovechó Shangó para tirársele encima y así vencerlo.

REFRANES DE ÒYÈKÚ TEKÚ ÒSÁ

1- Revolución en su casa y en la calle tropiezos.

2- El vanidoso quiere ser higo seco antes de ser higo maduro.

3- Nada bueno se obtiene sin esfuerzo.

4- Un viejo no se burla de sí mismo.

5- No desprecie a aquel que te sacó de la miseria.

6- No quieras echar en un día lo que siete días te deben.

7- La muerte es quien nos hace volar.

8- Solas por el viento viajan la vida y la muerte.

9- De la diligencia brotan los manantiales de la vida.

10- En los falsos labios solo anida la perversidad.

OYEKÚ IKÁ

Hablan: Orúnmila, Shangó, Obatalá, Ibbeyis, Oggún

De músico a príncipe

Orúnmila llegó a una tierra donde un hombre por derrochador cayó en la pobreza. Él adivinó para el pobre hombre y le dijo que le quedaba algo de mucho valor que lo podría llevar a posiciones cimeras. Él no entendió pues ya no tenía ni qué comer. Pero resultó que él había educado muy bien a sus hijos en estudios musicales, este sacrificó y marchó al pueblo en busca de trabajo, llegó frente a palacio y al escuchar las piezas musicales se quedó inmóvil por horas.

Él pudo entrar y tocar con los músicos y eclipsó a todos los demás músicos llegando a ser el favorito del rey.

Ocurrió que una noche en su lecho llegó una enmascarada joven que lo amó todas las noches, hasta que un día ella decidió revelar su identidad diciendo que ella tendría una rosa roja en su mano, resultando ser la princesa. Pero cuando ella lo vio susurrando con uno de los músicos tiró la rosa al suelo y la aplastó con los pies, pues lo creyó indiscreto y que la única forma que tenía de probarle su amor era matando aquel músico. Él en su ceguera fue y lo hizo.

Cuando el rey se enteró del crimen dio la orden de ahorcarlo. Entonces la princesa contó a su padre todo lo ocurrido y se declaró culpable. Y el rey ordenó que se casara con él para hacerlo feliz.

La venganza de los güijes

Orúnmila llegó a la laguna y adivinó para los güijes pero estos no sacrificaron. Él adivinó para el campesino pero este tampoco sacrificó. Pasó algún tiempo y el campesino fue de cacería tras unos guineos que llegaron a la laguna, él disparó y mató un güije con un tiro en el pecho. Una pila de güijes recogió al güije muerto y se zambulló con él. Por la noche los güijes salieron de la laguna y fueron a la casa del campesino, mataron todos sus animales de corral, echaron a la laguna todas sus provisiones, y no lo mataron junto con su mujer e hijos, pues se supo defender con su escopeta.

REFRANES DE ÒYÈKÚ BÌKÁ

1- El ojo de dios te mira cuando haces mal.

2- El mal que haces al prójimo te vuelve por la mano de ellos.

3- El que cree que un amigo es débil, es como el que cree que una chispa no hace fuego.

4- Cuando cae la lluvia, no cantan los pájaros del campo.

5- El camino no dice nada a nadie de los trabajos que pasaron los que por él transitaron.

7- Heridas viejas que se abren.

9- Cuando no se razona bien, el capricho lo engaña a sí mismo.

10- Más vale muchos pocos, que pocos muchos.

11- Más vale hacer itá que itutu.

12- Los contagios se pueden evitar, la muerte por contagios no.

OYEKÚN BATRUPÓN

Hablan: Orúnmila, Oggún

Los tres deseos del herrero

Había un herrero que vivía muy pobre y todos los días imploraba a Oloddumare y le fue enviado a Eshu para concederle tres deseos. El herrero pidió que todo el que subiera al cerezo de su patio sin su consentimiento no pudiera bajar. Que todo el que entrara a su casa sin su consentimiento no pudiera salir. Que todo el que se sentara en su silla sin su consentimiento no se pudiera levantar. Eshu se lo concedió pero pensó que eran peticiones inútiles. Pasaron los días y el hijo del rey subió al cerezo. El rey preocupado mandó a su séquito a casa del herrero, estos entraron y no podían salir. El rey fue personalmente y quedó inmóvil en la silla del herrero. El herrero pidió tierras fértiles por permitir al príncipe bajar del cerezo, pidió dinero por permitir al séquito salir de su casa y pidió la corona por permitirle al rey levantarse de su silla.

Orúnmila alimenta a una embarazada

Orúnmila en una de sus peregrinaciones de tierra en tierra se topó con una mujer embarazada, la cual desfallecida por hambre le contó que en su tierra todos comenzaban a tener orsuelos brotándoles humor y al poco tiempo quedaban ciegos, que el rey brujo la había desterrado culpándola del colectivo infortunio. Orúnmila entendió que era un castigo de Oloddumare lo que tenían los paisanos de aquella mujer por negar sacrificios a ipin obini aboyún (cosa sagrada). Orúnmila

79

dio de lo que tenía y le prometió llevarla a donde había alimentos. Akopeta que aún no estaba totalmente ciego los escuchó desde lo alto de un árbol y por un atajo llegó primero a Ilé Oko diciendo que llegaría un viejo y una embarazada hablando de falsas historias para estafarles, así ocurrió y cuando Orúnmila llegó lo echaron. A la salida de Oko estaba Oggún el cual traía a Akopeta como esclavo y preguntó a Orúnmila si la tribu de Oko había sacrificado para no ver los desbastadores resultados de la guerra. Así llegó la desgracia a Oko.

REFRANES DE ÒYÈKÚ ÒTÚRÚPÒN

1- Por los malos consejos se hunde un pueblo.

2- Si los de su casa no lo consideran, sus vecinos mucho menos.

3- Cosas porfiadas, cosas perdidas.

4- Libre de culpas y penas.

5- No te aflijas si el rico te corre pues tu esperanza no puede ser corrida.

6- La candela vive de lo que consume.

7- Las recompensas de la humildad son la riqueza y el honor.

8- El revoltoso crea su propio fin.

9- Todo el que comparte su pan con un pobre será bendecido.

10- El deudor es esclavo del acreedor.

11- Es mejor vivir en tierra desértica que con mujer peleona.

12- El hombre diestro en su trabajo pronto será necesitado por los reyes.

OYEKÚN TESIA

Hablan: Olorun, Olokun, Orúnmila, Aroni, Oggún, Shangó, Elegguá

El sacrificio a la boca

Los ricos no sacrificaban a la boca de los pobres y cada vez que estos mendigaban alimentos, solo echaban sal en su boca. Los pobres comenzaron a hablar amargo de los ricos y escupieron sus tierras. Después de ese día nadie podía guardar secretos, los matrimonios no se entendían, el estómago de los pobres enfermó por la sal y las piezas de los ricos por el azúcar. Todos fueron a casa de Orúnmila por adivinación, unos planteaban que había envidia y otros que había crueldad. Orúnmila dictaminó que para frenar el odio y el hechizo había que hacer sacrificio a las bocas en un gran banquete, pues la restricción al compartir los alimentos solo trae el caos y la miseria. Así se hizo el mayor de los sacrificios dar de comer a muchas bocas (ipin jeun). Todos salieron hablando bien unos de otros y el orden llegó a aquella tierra.

La capa real y el demonio del lago negro

Orúnmila llegó a cierta tierra donde el rey había perdido su capa cubierta de diamantes en el oscuro lago de un demonio.

Todos los aventureros que trataron de recuperarla nunca más salieron del lago negro, pues en su interior existían animalejos que los halaban hacia abajo y se los comían.

El demonio tenía la capa al otro lado del lago y prometió devolverla al rey, si alguien podía cruzar el lago sin perecer. El rey mandó a buscar a Orúnmila bajo pena de muerte para que le regresara su capa. Hizo adivinación. Él esperó a que el sol estuviera en el cenit e iluminara una grieta, que es la entrada de una caverna, hizo un conjuro y pasó sobre las aguas montado en una chiva negra llegando hasta la capa y regresándola al rey, el cual lo premió con mucho dinero.

REFRANES DE ÒYÈKÚ ÒTURA

1- Te han hecho rey, entonces usted empieza a preparar un hechizo de la suerte para que lo hagan un Dios.

2- Cuando no hay mayores en un pueblo, hay confusiones.

3- Cuando el padre de familia muere, en el hogar hay desorden.

4- Lo que esta escrito no se puede borrar.

5- A ningún matador le gusta el cuchillo en su cuello.

6- No ofrezca lo que no puede cumplir.

7- El que no sabe es como el que no ve.

8- Todo puede morir, menos la sabiduría que se transmite.

9- El que se vanagloria de su conocimiento para humillar, no es justo ni consigo mismo.

10- Ni por recibir conocimiento del joven el viejo se humilla.

OYEKÚ IRETE

Hablan: Babalú Ayé, Oshún, Eshu, Oggún, Eggún, Shangó

La esposa idónea

Orúnmila se vio este Ifá ofreciendo chivo a Eshu, pero se demoró en el mercado donde vendían plumas pues vio una mujer bonita y le guiñó un ojo.

Ella le preguntó que para qué quería esos animales, Orunla se complicó y oscureció sin hacer sacrificio el cual realizó al otro día. Ella cocinó los animales e invitaron a comer a sus amigos.

Orúnmila soñó con los hijos de la prosperidad, pintó su casa de blanco y brindaba a todos un buen trato. A los 21 días la mujer regresó cargada de bultos y se identificó como hija de Olokun, se casó con Orunla siendo la esposa idónea, tuvieron un hijo llamado Owó y los amigos de la plaza trajeron a Orunla riquezas de todo tipo.

La princesa y los siete demonios

Orúnmila llegó a un pueblo donde había una princesa poseída por siete demonios. Ocurrió que como hija única, le daban todos los gustos, por cuya razón ella siempre andaba con dinero para satisfacer sus caprichos. Un día su madre la reina le pidió siete reales con el ánimo de probarla y ella se los negó diciendo que no los tenía, cuando la madre insistió ella furiosa dijo:

—Siete demonios es lo que yo tengo dentro de mi cuerpo.

Los siete demonios la escucharon y entraron a su cuerpo.

Después de ese día ella comenzó a sufrir toda clase de accidentes, convulsiones, y muchos síntomas desconocidos.

Ellos buscaron la ayuda de los mejores magos, los cuales no tuvieron éxito alguno.

Orúnmila tuvo que hacer siete paraldo y el último fue con candela para lograr sacar al más activo de los demonios.

REFRANES DE ÒYÈKÚ ÌRÈTÉ

1- Una lanza que se hace de una pluma de escribir.

2- Hay quien pone el corazón donde hay interés.

3- Aquel que este libre de pecado, que tire la primera piedra.

4- Aunque seas rey considera al que esté sentenciado.

5- Cosa porfiada, cosa perdida.

6- El rey siempre se retira ante la muerte.

7- Quien no se fija en el sendero ante sus pies no encuentra fin a su camino.

8- Los labios de la extraña destilan miel y de su corazón hiel.

9- Los celos calientan la cabeza y enfrían la relación.

10- El que teme su itá se aparta del mal y se apega al bien.

OYEKÚN PAKIOSHE

Hablan: Ikú, Eshu, Olofin, Shangó, Eggún

El pacto entre Orúnmila y los egguns

Había un awó del campo que le gustaba ir rumbo aragba pues allí tenía a Orun, pasaba horas a solas disfrutando de ceremonias que él mismo hacía a Ikú, Eggún y Orun. Muy cerca de allí tenía un campo sembrado de melones que ofrecía en forma de agradecimiento a esos poderes, pero sucedió que los roedores justo cuando los frutos estaban maduros llegaban de noche y se los comían. Awó Oyekún Pakioshe consultó Ifá y este orientó poner una igba de omi y dentro aye elekoto ni orun. Los ratones llegaron de noche y al beber del agua murieron. Pero ocurrió que las ratas (jutías) de Orunla también bebieron y Orunla se enfadó mucho, por lo que se arrodilló sobre la tierra y rezó a Ifá.

Los espíritus comenzaron a pelear entre sí pues nadie quería enfrentar la ira de Orunla, todos fueron a casa Orunla y se disculparon y Orunla reconoció su error por haber dejado sus ratas fuera de la jaula. Orunla llevó dos gallinas negras y nueve huevos y se los comió junto con Eggún, perdonándose cada cual sus faltas y todo quedó bien entre Orunla y Eggún.

El pacto entre la vida y la muerte

En los primeros tiempos Olorun vivía escondido en una caverna y Orúnmila le sacrificó para que se elevase al cielo de modo que pudiera alumbrar la tierra, la cual estaba huérfana de seres humanos. Olorun tuvo un deseo: crear al hombre para que adorara su creación. Los primeros tiempos el hombre se alegraba con adorar las salidas y puestas de sol, la belleza de los valles y ríos, etc. Pero muy pronto se sintió solo. Orúnmila sacrificó a Osupa y ella tuvo un deseo: crear a la mujer. Los dos se juntaron para amarse y al poco tiempo también se sentían solos por lo que pidieron más compañía. Surgió el pacto de la procreación entre los hombres y Olorun que todo lo que nace tiene que morir para bien de la creación.

REFRANES DE ÒYÈKÚ ÒSHÉ

1- Revolución por Santo.

2- Vinimos a este mundo uno a uno y uno a uno tenemos que irnos.

3- El enfermo tiene empaquetada su ropa.

4- Nosotros no tenemos nada en común con cada otro.

5- El agua estancada también puede matar.

6- Al loco lo cuida su familia.

7- El agua se lleva a las personas libremente, y los devuelve libremente.

8- La salud da vida y su descuido la muerte.

9- En la sangre esta la vida o la muerte.

10- El pájaro preso no aprende a volar.

OYEKÚN BEDURA

Hablan: Orúnmila, Eshu, Olokun, Oshún, Olofin, Oggún, Osun

El fífeto

Los hombres estaban corrompidos por el vicio y Oggún por su cuenta tomó el machete comenzando a cortar la cabeza de todo el que se encontraba. Olofin mandó a Orúnmila a gobernar en la tierra pero los oshas ya se habían repartido el poder no permitiéndole a Orúnmila trabajar en aquella tierra. Orúnmila adivinó y esperó su oportunidad. Un día Oggún entró al cuarto de osha y como loco pretendía cortar cabezas, Orúnmila que estaba al asecho lo apaciguó con agua de coco y lo puso a comer junto con Eshu, Oggún quedó dormido hasta que Orúnmila terminó de sacrificar a todos los oshas. Oggún despertó enojado y tomó de nuevo su machete para continuar su objetivo momento que aprovechó Orúnmila para tocar todas las cabezas con una etu y cantar:

—*Orisha fífeto ara gogo orisha fífeto.*

Oggún se fue calmando, Orunla le retiró el machete, sacrificó la etu sobre obé y las cabezas de los animales sacrificados menos en la de Eshu que había escapado al monte. Orúnmila lanzó la etu al techo y Olofin enterado dio poder a Orunla para hacer cambio de cabezas donde Oggún prometió matar siempre por mano de Orúnmila. Y así reinó en aquella tierra.

Ikú y el calvo

Ikú salió a buscar a Oba Irawó Omo Shangó al cual era fácil de reconocer por su capa roja. Ikú preguntó en la plaza si alguien conocía a Oba Irawó y él mismo respondió:
—Soy yo.
Ikú le dijo:
—Vengo por ti en 16 días.
Eshu que todo lo ve guió a Oba Irawó hasta Ilé Ifé. Llegó a casa de Orúnmila y pidió un vaso de agua y Orúnmila adivinó para él diciéndole:
—Tienes a Ikú detrás y solo Ifá puede salvarte.
Orúnmila lo rapó y le cambió el nombre, así como su astral, cuando la muerte llegó ya él no era quien ella buscaba y se salvó.

La carrera de caballo

Un joven que aún aprendía a cabalgar descubrió que tenía capacidad de ser el más popular jinete del pueblo en el cual se efectuaba un evento anual de carreras a caballo.

Como se acercaban las competencias este quiso aprender más rápido de lo normal por ser el más joven de los competidores. Fue a casa de Orunla donde se le advirtió no arriesgar mucho en la carrera y dar chivo a Eshu para evitar accidentes, pues él era inexperto.

Él no comprendió por qué había que comprar un chivo tan caro para montar a caballo.

Se apresuró tanto en la carrera que iba a la cabeza del certamen. Eshu que siempre esta a la expectativa de quien hace el sacrificio, se paró en su carril lo hizo tropezar y cayó muerto.

REFRANES DE ÒYÈKÚ BÉDURÀ

1- Enfermo que no se muere y sano que se muere.

2- No deje lo seguro por lo inseguro.

88

3- El aviso dado por un menor a veces es tomado como recurso desesperado.

4- Cuando el vino se derrama entonces es que uno advierte dónde debía tenerlo.

5- La maldición no evita el nacimiento.

6- De la oscuridad nace la luz, la muerte produce nueva vida.

7- Aquel que un hombre maldice Dios lo bendice.

8- El que corrige al burlón atrae sobre sí deshonra, y el que corrige al ateo recibe insultos.

9- Da instrucción al sabio y será aún más sabio.

10- Dulce es el agua hurtada, pero amarga su consecuencia.

IWORI MEYI

Hablan: Orúnmila, Eshu, Oshún, Osain, Olokun, Olofin

El tambolero y el arriero

Orúnmila llegó a una tierra donde no había alegría pues uno de los cuatro tambores fue lanzado al fondo de un lejano pozo por un detractor. Orúnmila adivinó para ellos y seleccionó al más realista de los cuatro para cruzar el mar hasta cierta isla en pos de recuperar el tambor, pero le advirtió que no tocara el tambor fuera de su tierra.

Ellos sacrificaron y el joven partió mar adentro hasta llegar al lugar, allí hizo cierto conjuro y las aguas del pozo subieron junto con el tambor. El tambor tenía la virtud de hacer bailar a los oyentes cuando sonaba y cuando el joven estaba de regreso sintió deseos de tocar el tambor y así lo hizo, ocurriendo que un arriero llevaba un burro cargado de loza, y cuando el joven comenzó a tocar el tambor tanto el dueño como el burro se pusieron a bailar de modo que en poco tiempo la loza estaba hecha pedazos.

El arriero fue al juez y lo acusó por lo que fue llevado a la corte.

En el juicio le fue dicho:

—Estás acusado de haber roto la loza de este hombre.

—Yo no soy culpable. Toqué mi tambor y este señor y su burro se pusieron a bailar.

—¿Traes el tambor contigo?

—Sí.

—Toca —ordenó el juez y se puso a tocar.

El juez, el arriero y hasta la madre del juez que estaba baldada en cama comenzaron a bailar, de modo que la oficina del juez se convirtió en un salón de baile.

El juez pidió al músico que dejara de tocar y después de secado el sudor, dijo al joven:

—Puede irse sin culpa ni pena, pues usted curó a mi madre.

Así llegó a su tierra donde devolvió la felicidad a todos.

La porfía entre Orúnmila y el Diablo

Orúnmila llegó a una tierra donde el Diablo gobernaba y en cuanto se enteró de la llegada de un adivino lo desafió para probar sus poderes. Ellos acordaron que el primero que comiera el maduro fruto del almendro sería el más poderoso y por lo tanto rey de aquella tierra.

Orúnmila sacrificó y el almendro floreció en enero por lo que el Diablo se sentó debajo, esperando que maduraran los frutos. El Diablo estuvo allí hasta septiembre esperando los frutos, pues en ese mes es cuando el almendro los da.

Como en ese mes aún las almendras no estaban maduras se desesperó cuando fue avisado de que Orúnmila estaba comiendo de todas las demás frutas del bosque, pues todos los frutos ya habían madurado.

Entonces el Diablo se fue tras Orúnmila para comer de los demás frutos y cuando regresó encontró a Orúnmila comiendo del fruto del almendro.

REFRANES DE BABA ÌWÒRÌ MÈYÌ

1- En el país donde siempre hay hambre, la hiena encuentra todos los días qué comer.

2- Si la hiena entiende sus gritos ella se sabe espantada.

3- El chivo entero y la hiena son amigos.

4- Atando cabos se hace una soga.

5- El cojo no es rápido al correr.

6- El que tiene una sola moneda no puede sonarla.

7- Yo nací, pero ya viví en este mundo.

8- El león enseña sus dientes y los usa tanto en la selva como en la ciudad.

9- Una naranja que se plante una naranja que se arranque.

10- El aire hace al buitre.

11- El azadón tiene cabeza, pero no tiene cerebro.

12- Cualquiera que esté en la vía puede ser salpicado.

13- Los sueños hay que hacerlos realidad para que sean efectivos.

14- La cabeza en el aire y los pies en la tierra.

15- La energía produce acción, la inacción produce apatía.

16- La moral no se pregona, se practica.

IWORI LOGBE

Hablan: Orúnmila, Oshún, Olokun, Shangó, Eshu, Ibbeyis

El gavilán y el escabajo

Orúnmila adivinó para el gavilán y este no sacrificó para lograr sus pichones. Ocurrió que el compasivo escarabajo le suplicaba apartara sus garras de los polluelos, el gavilán con desprecio se reía y sin piedad mataba. El escarabajo se sintió burlado y tomando venganza, estrellaba cuanto huevo ponía el gavilán. Gimiendo llegó el gavilán a casa de Orúnmila y sacrificó comprendiendo que para la venganza no hay chicos o grandes sino la razón. Después de algún tiempo logró esconder su nido y sacar sus pichones.

La rata de la ciudad y el ratón del campo

El ratón de campo fue a casa de Orúnmila por adivinación y no sacrificó antes de viajar. Fue tras los encantos de la rata de la ciudad. Ella lo alimentaba de gordos tocinos, queso fresco y una despensa llena de viandas, pues no podía haber un aposento tan preparado. Todo muy bien hasta que se oyó un ruido, corren y escapan por un pasadizo abierto a dientes. Después del susto dijo el ratón a la rata:

—Renuncio yo del queso y del tocino con sustos y sobresaltos, regreso al campo donde estimo más de ahora en lo adelante mi casita de tierra y sus legumbres.

IWORI YEKÚ

Hablan: Egungun, Elegguá, Oshún, Yemayá, Orúnmila, Irúnmole

Los garroteros

Había un hombre que estaba pasando mucho trabajo y el poco owó que le entraba era por garroteros, de modo que fue a casa de Orunla el cual marcó ebbó con ounko fifechu y que no hiciera favores a nadie. Los garroteros fueron a ilé Orúnmila y sí hicieron ebbó, por lo que acosaban al hombre pidiéndole el owó, y como este no lograba pagar ellos vivían con su mujer, lo chantajeaban y lo amenazaban a punta de hierro.

El hombre desesperado salió a caminar y se encontró con un hombre (Eshu) con el carretón atascado, quien se lamentaba de no poder darle de comer a sus hijos por el contratiempo, este se compadeció y comenzó a ayudarlo, pero en la fuerza quebró la vejiga y la orina se le salía, cuando logró sacar el carretón, un pesado saco cayó sobre una de sus piernas quebrándola. El carretonero siguió su camino sin darle las gracias ni brindarle auxilio y este murió sin ser socorrido.

La bruja del arroyo

Orúnmila llegó a una tierra donde la princesa padecía de fuertes dolores de cabeza y el corazón se quería salir del pecho.

Él adivinó para ella y le sacrificó, como ella estaba en cama él mismo fue a depositar el ebbó al arroyo a altas horas de la noche. Orúnmila al llegar escuchó unas carcajadas y a la vez un ruido de personas chapoteando y palmoteando unas con otras, por lo que se escondió entre las ramas.

Momento después vislumbró un grupo de brujas a las cuales se agregó una que llegó después.

—¿Por qué has llegado tarde? —preguntaron las primeras.

—Porque fui a verificar que el hechizo a la princesa estuviera vigente.

—¿Por el sistema de los alfileres?

—Sí, señora. Agarré un sapo, le perforé la cabeza y el pecho y, para mayor seguridad, lo puse hace meses en la cabecera de su cama. Así, los padecimientos del animalejo los siente ella.

Ellas emprendieron vuelo. Orúnmila pudo ver bien su cara y avisó al rey. Al otro día la bruja fue traída al lugar y como quien quitase el animal del lugar sufriría los efectos maléficos, hicieron a la bruja quitar los alfileres al animal.

Ella así lo hizo —porque no pudo escaparse— y dando un gran alarido, reventó.

REFRANES DE ÌWÒRÌ ÒYÈKÚ

1- Lo que se ve no se habla.

2- El murciélago con la cabeza para abajo ve la manera de comportarse los demás pájaros.

3- En boca cerrada no entran moscas.

4- El fin es productor de la continuidad y el principio es quien nos hace vivir.

5- El tener un proyecto de solución y no ponerlo en marcha no resuelve nada.

6- La muerte no existe para el árbol que da frutos.

7- El mañana no existe si no tuvimos ayer.

8- El pan comido en secreto parece ser más sabroso aunque nos queme la boca.

9- La mano del delincuente lo mismo lleva dinero que esposas.

10- La memoria del justo es bendita, la del malvado se pudrió.

IWORI ODI

Hablan: Obatalá, Orunla, Oggún

La serpiente y el sapo

La serpiente no quería trabajar, vivía solo de lo que robaba a los hombres, que criaban sus animales y esta se los comía. Pero los hombres pensaban que era castigo de los egguns. Los hombres cansados de no ver el fruto de su trabajo fueron a ver a Orúnmila, quien les abrió los ojos, pues estaban engañados, diciéndoles:

—Su enemigo es pardo, alto y de boca grande.

Ellos se dieron cuenta que era la serpiente cascabel y recordaron que esta hacía un ruido característico con su cola y que por eso podían cogerla. Los hombres pusieron trampas pero ella era astuta.

Un día la madre mayor de los hombres la vio y trató de matarla pero la serpiente escupió el veneno y mató a la anciana.

Regresaron a casa de Orunla el cual mandó orugbo con un sapo venenoso que solo comía insectos dañinos, pero soltaba un polvo de su piel capaz de matar a un elefante.

El sapo esperó que la serpiente se lo tragara y dentro soltó el afoshé y aunque lo vomitó murió envenenada.

La viuda y el soldado

Había una mujer de belleza sorprendente la cual hizo adivinación y Orunla le marcó sacrificio para la procreación, que ella efectuó. Al poco tiempo quedó la mujer viuda sin prole.

Fue tal su desesperación que no se contentó con seguir el entierro sino que no se quiso separar del cadáver ni para comer ni para dormir, y se quedó a vivir en el cementerio. Ocurrió que en aquel lugar el rey tenía clavado tres bandidos al madero, custodiados por un soldado para que los familiares no pudieran sepultarlos. El soldado ya en la noche sintió el gemir y vio la luz en la gruta, la maldita curiosidad lo hizo abandonar la guardia, compartió el pan y el vino con la bella viuda, consolándola con la filosofía del renacer y la inmortalidad a fin de que abandonara el inútil dolor, logró además enamorarla y que esta le correspondiera, y poco a poco logró poseerla. Pero ocurrió que en el descuido uno de los tres cuerpos fue robado y sabiendo el soldado que sería decapitado fue a despedirse de su amada, mas ella que llevaba en su simiente el fruto de ese amor le contestó:

—No, de ningún modo, no permitiré que mueras, más vale clavar al madero al que ya esta muerto que matar al que vive.

El cadáver fue puesto en lugar del bandido y la viuda rehizo su vida con el soldado.

REFRANES DE ÌWÒRÌ ÒDÍ

1- Lo negro no se vuelve blanco.

2- No hay mujer que no pueda parir un babalawó.

3- El poder mover el cuerpo es producto del espíritu.

4- Las calumnias morales destruyen las uniones.

5- Los hijos son los peores jueces de los padres.

6- Los vicios del cuerpo nunca se sacian.

7- La infidelidad es la peor ofensa a la moral.

8- La integridad es segura, la charlatanería se cae sola.

9- No hay mejor medicina para el odio que el amor.

10- El cuero es para las espaldas del bruto.

IWORI KOSO

Hablan: Orúnmila, Osun, Odus de Ifá

La coqueta

Orúnmila adivinó para una bella cortesana pero ella no sacrificó. En el pueblo se hizo un baile donde todos los jóvenes asistieron y como muchos la pretendían, muy pronto surgió la puesta de quién bailaba con ella. Se originó un fabuloso combate a puñetazos por las coqueterías de la joven, que terminó a puñaladas.

Los músicos escaparon sin sus instrumentos y todos golpeados. No quedó un mueble sano. El local fue parcialmente destruido por el gran tumulto iracundo. Y hasta tuvo que intervenir la guardia real.

El jorobado y la mona

Había un rey que tenía tres hijos, uno de ellos era jorobado, él fue a casa de Orúnmila y sacrificó. Todos querían casarse, pero el padre les dijo que salieran por el mundo y que solo se casaría el que le trajera la vasija más bonita. Los tres partieron y llegaron a una encrucijada donde habían tres caminos: cada uno cogió por su lado. El jorobado hizo amistad con una mona que le regaló tiesto de gallinas. El hijo mayor la trajo de bronce. La del mediano era de plata. Pero el jorobado no se atrevía a mostrar el tiesto de gallinas.

El rey lo presionó encolerizado y los tiestos se transformaron en oro. Los hermanos envidiosos dijeron al padre que para qué quería platos tan finos sin mantel, y el rey los mandó de nuevo por el mundo a encontrar el mantel más fino del mundo. El jorobado regresó a casa de Orúnmila y sacrificó. Él fue a ver a la mona con el paño de limpiar la chimenea.

Los hermanos mostraron sus manteles y por el poder mágico el paño se transformó en el mantel más lindo del mundo. El rey le dijo: escoge tu novia y tráela para casarte. Él escogió la monita y cuando la trajo todos se mofaban de él, se disgustó tanto que fue a refrescar su cara a la fuente, pero cuando se volvió ya no vio a sus hermanos. Todos estaban transformados en monos, osos, etc., donde la monita era la princesa. Ellos sintieron gran envidia al ver al hermano menor rodeado de oro, con carruajes lujosos.

REFRANES DE ÌWÒRÌ ÌRÒSÙN

1- Cuidado la paloma no eche a perder el palomar.

2- No hable del que le da de comer.

3- Lo que se anuncia se vende.

4- El gallo no paga dote antes de tener mujer alguna.

5- La rata del monte jamás muere sin haber producido prole.

6- Los genitales de las serpientes besaran la tierra de cualquier modo que se muevan.

7- La hoja en el tope del árbol caerá al suelo con toda seguridad para alimentar la tierra.

8- La fortaleza del rico esta en su dinero, la del pobre en sus principios.

9- Quien oculta su odio es hipócrita, quien lo divulga es necio.

10- El mucho hablar conlleva a errores, el frenar la lengua es prudencia.

IWORI JUANI

Hablan: Osain, Obatalá, Orúnmila, Yemayá

El hechizo de la serpiente

Había un rey que fue hechizado por una bruja. El rey, su mujer y sus cuatro hijas estaban prisioneros dentro de su palacio, que poco a poco fue cubriendo la vegetación quedando internado en el medio del bosque. Una enorme serpiente debería morir para romper el hechizo que no les permitía salir.

Orúnmila adivinó para los hijos del rey vecino que eran amantes de la caza. Un día los cuatro fueron a cazar en montes lejanos y fueron sorprendidos por una gran tempestad con mucha agua y truenos. Anduvieron a tientas en la oscura noche y llegaron al intrincado palacio donde la mesa estaba servida; ellos comieron y después se acostaron en los cuartos. Al otro día la tempestad era aún más terrible. Pero se dio la dificultad de no tener con qué encender los candiles.

El más osado de los cuatro salió a pedir fuego viendo una hoguera en cierta cueva donde vivían cuatro cimarrones. Él pidió un madero y ellos le dijeron que lo cogiera con sus propias manos pues ellos eran hombres libres. Los cuatro príncipes con los candiles recorrieron todo el palacio donde dormían cuatro bellas jóvenes en sus habitaciones y conocieron al anciano rey. Ellos con sus armas mataron la serpiente y pudieron librar al reino que se unió al suyo, pues ellos se desposaron con las cuatro hijas del rey.

La poceta del Diablo

Érase una tierra donde nunca llovía y sus habitantes llamaron al Diablo para que los ayudara. Él llegó cubierto de pelos, lleno de piojos, pulgas, caránganos, por lo que estaba loco por bañarse y limpiarse de las inmundicias. Fue al monte y allí con sus garras cavó un profundo hueco. La tierra y las piedras salían como si fuera el cráter de un volcán. Muy pronto el hueco estuvo lleno de agua.

Se lanzó al agua y quedó completamente limpio de parásitos. Los habitantes al saber que tenían agua fueron a beber de ella y todo el que lo hizo se enfermó. Orúnmila llegó a aquella tierra y mandó a cerrar la poza pero nadie le obedecía.

Un día en que fueron cuatro a bañarse y se ahogaron, alakasó descendió y al tocar con su pico el agua sintió que sus ojos se cubrían con lagañas y que las plumas de su cabeza se desprendían por lo que salió pregonando a los cuatro vientos que las aguas estaban infectadas. Ellos fueron a ver a Orúnmila y sacrificaron, sellaron la poceta. Muy pronto comenzó a llover llegando la sanidad a aquella tierra.

REFRANES DE ÌWÒRÌ ÒWÁRÍ

1- El que canta sus maldades espanta.

2- Olorun no abre sus puertas a aquel que no se las abrió a un hermano.

3- El que no tiene bondad, no puede esperar recibirla de otros.

4- El que no escucha consejos, no puede darlos.

5- El malagradecido no merece el agua que bebe.

6- El que desperdicia lo que otro necesita, termina necesitando lo que otro desperdició.

7- Como el vinagre en los dientes y el humo en los ojos, así es la envidia cuando llega a la cabeza.

8- El que cree no le falta la **esperanza**.

9- Quien obra con malicia se arruina a sí mismo.

10- La lengua perversa debe ser cortada.

IWORI OBARA

Hablan: Orúnmila, Olofin, Osun, Eshu, Oshún

El hechizo de la cara de cerdo

Érase un rey que tenía tres hijos. Un día dijo:
—Hijos míos, vayan a correr el mundo y aquel que traiga la mujer más hermosa se quedará con el reino.

Los dos mayores enseguida encontraron esposas y se casaron uno con la hija del panadero y el otro con la hija del herrero. Por fin el más joven encontró la mujer más linda del mundo y cuando ella iba camino a palacio una bruja la maldijo transformando su lindo rostro en cara de cerdo. Cuando llegó a palacio todos se mofaban de él. Él fue a casa de Orúnmila y sacrificaron a las brujas.

Llegó el día y cuando iban a presentar a la joven ante el rey apareció la bruja y le devolvió su belleza donde el rey entregó la corona a su hijo.

Los fantasmas del bohío

Orúnmila llegó a una tierra y ocurrió que para los primeros que adivinó fue para unos campesinos que aseguraban vivir en una casa que fue divisada por unos ladrones que se mataron unos a otros. Pero sucedía que cada vez que ellos apagaban la luz para dormir alguien los golpeaba a puñetazos por todas partes, prendían la luz y no había nadie, iban al espejo y no tenían golpes.

Orúnmila recomendó abandonar la casa y darle fuego e ir a vivir a una cueva. Ellos obedecieron, sacaron sus muebles y cosas de valor, prendieron candela al viejo bohío y se fueron a vivir a una cueva donde encontraron los tesoros escondidos por los ladrones.

REFRANES DE ÌWÒRÌ ÒBÀRÀ

1- Por tener buen corazón pierde.

2- Tanto va el cántaro a la fuente hasta que se rompe.

3- El dolor de barriga vacía solo lo siente el que ha pasado hambre.

4- El que presta, pierde lo que presta y pierde al amigo.

5- Cuando llega la soberbia, también llega la deshonra.

7- La integridad endereza cualquier camino, la maldad lo tuerce.

8- Cuando muere el bueno, todos lo lloran, cuando muere el mezquino, todos se regocijan.

9- El que menosprecia a otro se menosprecia a sí mismo.

10- El chisme es neutralizado por la prudencia del silencio.

IWORI KANA

Hablan: Orúnmila, Olokun, Obatalá, Oggún, Yemayá

El alfiler perdido

Había un rey que para entretenerse mandó a construir una lujosa embarcación, en la cual remaban semi desnudas veinte jóvenes bellísimas que cantaban alegrando al monarca. Orunla hizo sacrificio y guardó en su bolsillo un alfiler. Ocurrió que una de las jóvenes, ya cansada de remar, de repente comenzó a llorar y detuvo la marcha al igual que sus compañeras. El monarca impaciente por la desobediencia llamó a la causante del paro quien le dijo que había perdido un alfiler lujoso en las aguas y con él la alegría. El rey mandó a Orula a localizar el alfiler y este se entrevistó con la joven que trató también de engañar a Orula.

Orula a través de su dominio sobre el agua ordenó que el mar se abriera en dos, bajando aprovechó este a una tortuga y escarbó para poner sobre su caparazón el alfiler, demostrando al rey su poder y salvando su prestigio y reputación.

El toro volador

Había un cruel y sanguinario bandido que vivía en una loma y solo bajaba a saquear. No teniendo nada más malo que hacer empezó a talar árboles para que faltara la lluvia y la gente muriera de hambre y calor.

Un día que fue al pueblo notó que había una piedra colocada en un charco para que la gente pasara sin enfangarse, pensó en quitarla pero recordó que por ahí tendría que regresar, así que la dejó, al poco rato Orúnmila pasó por ahí y se sirvió de la piedra sin ensuciar su traje.

Al poco tiempo el bandido fue asesinado por uno de sus propios hombres. Cuando llegó a ilé Orun (cielo) su ángel le dijo:

—Usted no es totalmente malo pues gracias a usted Orunla llegó a un pueblo vestido de limpio —por lo que le concedieron un deseo.

El bandido pidió un toro volador del infierno, se montó sobre este y arremetió contra los ángeles durante dos horas, que era el término del deseo. Cuando este bajó del toro, todos lo querían botar del cielo pero Olofin dijo:

—Esto no es posible, pues entró al cielo por una obra buena y no pueden sacarlo.

El bandido al ver el infinito amor de Olofin se regeneró y sus obras cambiaron para bien.

REFRANES DE ÌWÒRÌ ÒKÀNRÀN

1- Lo que busca delante lo tiene detrás.

2- Todo lo malo se ha ido por el escusado.

3- Si la cabra va a dormir ella inspecciona la tierra.

4- Una charla descuidada normalmente mata a una persona ignorante.

5- No hay nada que un charlatán pueda ver, no hay nada que un charlatán pueda oír, por eso un babalawó no debe ser charlatán.

6- Como aretes de oro en orejas de cerdo es la mujer que no sabe callar.

7- El alma generosa será siempre próspera.

8- Todo el que confía en su riqueza caerá, pero el que confía en su espíritu prosperará como la hoja verde.

9- El necio siempre será siervo del sabio.

IWORI OGUNDÁ

Hablan: Orúnmila, Oggún, Oloddumare, Osain, Oshún

El joven agradecido

Oshún tenía un hijo que no le gustaba estudiar y como Oshún era más fuerte que él lo puso a trabajar estibando en la plaza y en sus ratos libres lo mandaba a hacerle los mandados a Orunla, pero aquel muchacho era un desastre y nada le salía bien por lo que Orunla le dio awafakan y decidió ponerlo a prueba a ver si era agradecido.

Orunla habló con Babá y le comentó al respecto, entonces los dos decidieron probarlo.

Babá lo llamó y le dijo:

—¿Cómo es posible que teniendo awafakan tengas que trabajar tan duro en la plaza mientras que Orunla trabaja sentado?

Y él contestó:

—Orunla es un hombre sabio y bueno por lo que no merece tener amigos como usted.

Pero Babá continuó diciendo:

—No te das cuenta que Orunla te utiliza.

El joven fue a casa de Orunla y le contó todo lo ocurrido. Orunla le preguntó:

—¿Por qué me ayudas en los quehaceres si yo no te obligo?

Y él respondió:

—Eso me da el placer de ser útil.

Orunla comprendió que era agradecido y que había nacido para trabajar, por lo que lo ayudó a encaminarse en la vida.

El príncipe tonto

Había un príncipe que acomodado en su medio no tenía incentivo alguno para emprender su propia vida y todas las princesas lo repudiaban tildándolo de tonto. El rey preocupado por su descendencia fue a casa de Orúnmila y sacrificó. Un día en que la más bella de las princesas vio un loro blanco en el jardín se sorprendió cuando el loro le dijo:

—Una buena esposa puede hacer rey a un hombre estúpido; mientras que una esposa haragana podrá cambiar a un hombre inteligente en tonto.

El rey la miraba desde su balcón e intrigado, le preguntó qué hablaba con el ave. La joven contó a su padre lo ocurrido y el rey se enfureció tanto que ordenó casarla con el príncipe tonto. Ella poco a poco lo enseñó a luchar por la vida. De modo que los dos pudieron ser felices.

REFRANES DE ÌWÒRÌ ÒGUNDÁ

1- La traición esta en la mesa.

2- La persona que está acechándome en la guerra detiene la guerra.

3- Sus enemigos comen lo suyo, pero cuando usted no tenga, sus amigos desaparecen.

4- Las guerras no se producen del cielo, pero se vencen con los pies en la tierra.

5- Nadie sufre más que el fiador de un extraño.

6- La mujer agradecida es honrada por quien la favorece.

7- El justo tendrá larga vida, el injusto alcanza su propia muerte.

8- El hombre se afianza a la tierra por su piedad y los indolentes son arrancados de raíz.

9- Cuando un hombre aconseja rectamente es bueno, cuando lo hace engañosamente es malo.

10- Más vale el humilde que el que presume y carece de pan.

IWORI BOSA

Hablan: Orúnmila, Eshu, Obatalá, Shangó, Oyá, Eggún, Oshosi, Oshún

Las brujas y los jorobados

Orúnmila llegó a una tierra y adivinó para dos jorobados que eran muy amigos, recomendándoles sacrificar a las brujas donde solo uno sacrificó. El que sacrificó partió al monte en busca de una jicotea y se perdió en el bosque donde las brujas estaban danzando. Ellas agradecieron su sacrificio y lo hicieron bailar, le dieron comida, mucho dinero y le quitaron la joroba.

Cuando llegó al pueblo, el otro jorobado le preguntó quien lo había enderezado. Él le contó lo ocurrido en el lugar del bosque. El otro jorobado fue, vio las mismas brujas, que al verlo le dieron una gran zurra y como si fuera poco le pusieron la joroba que el otro había dejado allí.

Y de esa forma, él se fue con una joroba detrás y otra delante.

Las ovejas y las perras

Orúnmila llegó a la tierra de los pastores donde adivinó para un joven el cual solo tenía tres ovejas. Al poco tiempo llegó un cazador con tres perras queriéndolas negociar por sus tres ovejas y él aceptó con la condición de que a los tres años el cazador le entregaría la mitad de las ganancias obtenidas por las ovejas. Nunca más supo del cazador. Él se hizo cazador y obtuvo tenues ganancias para vivir sin miseria. Él regresó a casa de Orúnmila y volvió a sacrificar.

Al cabo de algún tiempo fue a una tierra donde existía una serpiente devoradora de vírgenes que acechaba a la princesa. Sus perras lucharon durante tres horas con la serpiente hasta matarla. El rey hizo una gran fiesta y entregó a su hija en matrimonio al joven pastor.

REFRANES DE ÌWÒRÌ WÒSÁ

1- El más débil pierde.

2- La digestión comienza en la boca.

3- El que no conoce a su enemigo no lo puede vencer.

4- Cuando los nubarrones pasan, el brillo del sol resplandece.

5- El peor enemigo es el de adentro, el de afuera es vencible.

6- El barbero de los pobres nunca le falta qué comer.

7- El testigo veraz no mentirá, pero el falso cobra por mentir.

8- La sabiduría del prudente esta en entender su destino, la necedad del estúpido tuerce sus caminos.

9- Aun en la risa, el corazón puede tener dolor.

10- El simple todo lo cree pero el prudente mide sus pasos.

IWORI OKÁ

Hablan: Orúnmila, Oshún, Orisha Nla, Olofin

Los ladrones y los sapos

Orúnmila llegó a una tierra que estaba afectada por una banda de ladrones los cuales después de cometer sus fechorías se iban a un río a refrescarse. Orúnmila adivinó para aquella gente y marcó sacrificio al río. Ellos sacrificaron y los sapos que vivían en sus márgenes dijeron qué gente tan buena que nos trae comida. A los pocos días los ladrones volvieron al río, comieron y bebieron pero no dejaron nada.

Los sapos fueron a palacio y contaron dónde era que los ladrones guardaban lo robado, de ese modo fueron capturados los malandrines.

El sabio consejo

Orúnmila se encontraba jugando ayo con sus discípulos y un labrador que tenía una pésima economía, pues sus sembrados no rendían, fue a pedirle un consejo. Como el juego no admitía grandes interrupciones Orúnmila le dijo:

—Acuéstate más tarde y levántate más temprano.

El labrador regresó a su casa sorprendido y desilusionado. No obstante, por otra parte tenía poco que perder con ello, decidió probar el consejo. ¿Y qué vio él en esas horas en que todos lo suponían dormido? Lo que nunca había sospechado. Del granero salía un saco de pan; de la bodega, un cántaro de vino; de la despensa, una jarra de aceite, un pedazo de tocino, una cazuela de legumbres.

Fue entonces cuando el labrador comprendió la gran perspicacia de Orúnmila. Por lo tanto, tomó las debidas precauciones y de ahí en adelante, siempre atento a todo lo que pasaba, nadie más pudo engañarlo y su casa prosperó.

REFRANES DE ÌWÒRÌ ÒKÁ

1- Cuando usted se asustó y no investigó por qué.

2- No solo la peste nos avisa que hay algo podrido.

3- Los muertos no se ven pero se sienten.

4- Santo Tomás no siempre tiene razón.

5- El sabio teme la ira de Olorun, pero el necio es arrogante y descuidado.

6- Aun por su vecino es odiado el pobre, pero el rico "es amado" por todos.

7- Los sabios pronto serán ricos, los necios pronto estarán necesitados.

8- El testigo veraz salva vidas pero el falso es traidor.

9- En la multitud del pueblo esta la gloria de un rey, y en la falta de pueblo la ruina de un príncipe.

10- El hombre iracundo ensalza su necedad.

IWORI TRUPÓN

Hablan: Orúnmila, Olokun, Yemayá, Shangó, Alá

La fuerza de voluntad

Había dos ranitas una fuerte y otra más débil pero vivaracha, la cual fue a casa Orunla e hizo ebbó. Un día sin darse cuenta las dos cayeron en un estanque lleno de leche y no podían salir pues no había dónde apoyarse. Llevaban dos horas luchando con la esperanza de salvarse y la muerte parecía segura.

La más fuerte perdió la energía y decía:

—Yo no puedo más.

La débil le decía no pares de mover tus miembros, pero esta se dio por vencida y abandonó la lucha por lo que se ahogó.

Entonces la débil pensó:

—Si paro, la muerte es segura —por lo que siguió.

Cuando estaba a punto de desmayarse sintió algo bajo sus patas, era un tronco de mantequilla que se había formado por el agitar la leche con las patas. Así la valiente ranita brincó y salió del bote de leche a la libertad.

El acertijo de la hija del Diablo

Había un rey que vivía muy triste ya que la reina no le daba un hijo. Un día la reina desesperada pidió uno, aunque fuese hijo del Diablo. Ella parió una niña que al llegar a la edad de casarse pidió a su padre que solo se casaría con el que trajera un ramo de todas las flores, un vaso de todas las aguas y un lazo de diez puntas. Los más inteligentes no habían podido descifrar el acertijo.

Un humilde colono fue a casa de Orúnmila por adivinación y sacrificó. Fue al bosque a depositar el ebbó cuando un loro le dijo:

—Llévate este panal de miel y esta rama de laurel rosa.

Ambos forman un ramo de todas las flores, porque la abeja se posa en todas las flores menos en este tipo de laurel.

—Llévate además este vaso y llénalo en el mar, donde acude el agua de todas las fuentes. Ve junto a la princesa y dale un abrazo, que es el lazo de diez puntas que forman los dedos.

Así se casó con la princesa y fue muy rico.

REFRANES DE ÌWÒRÌ ÒTÚRÚPÒN

1- La privacidad hace duradero un matrimonio.

2- Ni frío ni calor pueden matar al halcón.

3- El árbol del laurel nunca muda sus hojas.

4- Un corazón apacible es vida para un cuerpo, mas las pasiones pudren los huesos.

5- El que oprime al pobre ofende a Olorun, pero el que se apiada lo honra.

6- La justicia engrandese, la tiranía degrada.

7- La mansa respuesta aplaca la ira, mas la palabra hiriente multiplica la ira.

8- Es mejor un plato de legumbres donde hay amor que un buey donde hay odio.

9- Quien no consulta el oráculo sus planes se frustan.

IWORI TURA

Hablan: Shangó, Eshu, Orúnmila

Los dos herreros

Orúnmila llegó a una tierra donde había dos hermanos herreros que se llevaban muy bien, tanto que no era posible diferenciar el trato entre los hijos de uno con los del otro, hijos y sobrinos eran una misma cosa. Orúnmila adivinó para ellos y marcó discordia familiar, pero como todos eran tan unidos no creyeron en Orúnmila y no sacrificaron.

Un día fueron al bosque los dos hermanos a establecer allí sus forjas, pero ambos poseían un solo martillo que lo utilizaban de forma alterna y como estaban algo distantes uno de otro se lo lanzaban en el aire.

Esto se repetía cada vez que trabajaban. Un día en que el trabajo era arduo uno se disgustó con el otro y le lanzó el martillo con tanta violencia que el hierro fue a caer en la ladera del monte y el cabo se clavó en la tierra del valle. Desde ese día las dos generaciones se odian y están en perpetua guerra.

La porfía entre Obatalá y Abita

Oloddumare dio poderes creativos a Obatalá y a Abita. Obatalá sacrificó y partió a la tierra. Cuando Obatalá creó una paloma blanca, Abita dijo:

—Yo hago otra.

Abita se puso a trabajar y lo que salió fue un murciélago. Abita dijo que la paloma era una indecente y solo pensaba pisar con el palomo. Obatalá creó una perra y Abita un perro con el miembro largo y la perra dijo:

—En esa no voy yo.

Entonces Abita dijo:

—Eso se arregla fácil. Y le hizo un nudo en el miembro. Obatalá empezó a hacer frutas y fabricó una guanábana. Abita que la vio dijo:

—Yo hago otra.

Y fabricó el marañón, pero al notar que no tenía semilla le hizo la semilla por fuera. Obatalá creó la vaca. Y Abita dijo:

—Yo la hago.

Se puso a trabajar y salió una chiva sin rabo. Le sacó una tira del pellejo y se la puso de rabo. Así ocurrió hasta que se creó todo lo perfecto e imperfecto del mundo.

REFRANES DE ÌWÒRÌ ÒTURA

1- La ostra solo abre la boca para comer.

2- La cabeza puede tropezar con los pies, cuando los pies piensan por la cabeza.

3- Obini mata a Okuni.

4- La boca que come sal, come azúcar, come bueno y malo.

5- Mira bien por dónde caminas para que tus pies te lleven a un buen fin.

6- Un palo jorobado esparce el fuego, un loco esparce su propia casa.

7- La palabra a tiempo es vida, la palabra fuera de tiempo mata.

8- En la casa que se mantiene con ganancias ilícitas es una extraña la paz.

9- La luz de los ojos alegra el corazón.

10- Quien no se disciplina se desprecia a sí mismo.

IWORI ROTE

Hablan: Orúnmila, Oshún, Shangó, Obatalá

Los opuestos

Orúnmila salió de peregrino a tierras distantes junto a sus ahijados. En el camino le entró sed y comenzó a pedir agua, una atenta mujer le fregó una jícara y le dio de beber, y en agradecimiento le dijo:

—Que Olorun te de un mal marido.

Siguieron su camino y llegaron a otra casa donde también pidió agua y una mujer le dio de beber en una jícara sin fregar. Y en agradecimiento le dijo:

—Que Olorun te de un buen marido.

Llegaron a una tienda donde había hombres honestos y pidió comida la que le dieron de buena gana y en agradecimiento dijo:

—Que Olorun los rodee de gente falsa.

Llegaron a una cueva donde había muchos ladrones y pidió de comer, cuando le negaron dijo:

—Que los rodee de gente honesta.

Y así siguió poniendo ejemplos que ninguno de sus discípulos entendía, por lo que muy pronto le preguntaron:

—¿Maestro cómo es que al justo le desea la compañía del impío?

Y él respondió:

—Es para que cada cual aprenda uno del otro pues son totalmente opuestos.

El odio y el amor

Había un rey que sufría la grave enfermedad de su hija y Orúnmila la salvó, por ello fue nombrado su primer ministro y el reino floreció. Al poco tiempo ocurrió que Orúnmila tenía un hijo que era su adoración por lo que lo marcó con un lunar tatuado en la frente. Los enemigos de Orúnmila al no poder con él raptaron al crío y lo botaron en el monte. Una cabra sintió compasión por él y lo amamantó para que no muriera. A los pocos días fue encontrado por el anciano dueño de la cabra que tenía una esposa estéril. Ellos criaron al crío como si fuera su propio hijo.

El joven creció y llegó a ser muy apreciado por todos en su pueblo. Tanto que el rey sintió celos y lo difamó de ser enemigo de la corona.

Él llegó a la plaza y pidió la palabra antes de ser decapitado y dijo:

—Nunca he sido enemigo del rey y si en algo lo he ofendido le ruego me disculpe, ofrezco mi mano abierta para satisfacer su amor y ofrezco mi cabeza para satisfacer su odio.

Pero ocurrió que al quitarse el sombrero se le vio el lunar y Orúnmila dijo:

—Ese es mi hijo, que creí perdido y hoy lo encuentro.

El rey para no demostrar su odio dijo que perdonaba al hijo de Orúnmila.

REFRANES DE ÌWÒRÌ ÌRÈTÈ

1- La calle no se dobla por la esquina, sino por el centro.

2- El mundo esta soportado por cuatro esquinas.

3- El gallo pica al pollo pues ve en él un futuro rival.

4- Cualquiera que roba mil perderá dos mil en la vida.

5- Solo la caridad puede evitar la miseria.

6- Cualquiera que hace mil bondades segará dos mil.

7- El sabio no es más grande que el que busca el saber.

8- El saber no es amigo del egoísmo.

9- El sabio se mide más por su humildad que por su conocimiento.

10- Pozo sin fondo es la prostituta y pozo estrecho es la mujer de otro.

11- El hombre de corazón limpio tiene manos limpias.

12- Con el bueno sé bueno, con el malo sé astuto.

IWORI BOSHE

Hablan: Orúnmila, Olorun, Oshún, Olokun, Yemayá, Obatalá

La guerra entre Oshún y el oso

El oso gobernaba la espesura y Oshún el río, pero el oso vivía de la miel de las colmenas de Oshún, poco a poco se le fue acercando y ganando su confianza, pero ocurrió que el oso maltrataba a los hijos de Oshún y ella lo expulsó, y tuvo que retirarse a las colinas, solo le dejó en préstamo una yunta de bueyes. El oso se puso a sembrar la tierra. Llegó el día en que Oshún necesitó sus animales y mandó a pedirlos con uno de sus hijos, como el oso se negó el joven le dio un machetazo en una pata y el oso con sus garras le arrancó la cabeza, lo cargó en hombros y partió al río. Oshún vio reflejada en sus aguas lo ocurrido y llamó a las abejas que entrando por los orificios lo mataron.

Los animales de patas sucias

Al principio de la creación los orishas masculinos y femeninos vivían apareados y felices. Pero en el mar había un fenómeno el cual irradiaba a las mujeres y estas al caer en trance desatendían sus obligaciones. Muy pronto el hombre llegó a la tierra traído por los irúnmole (cadena de oddún Ifá). Y los orishas partieron cada cual por su camino en pos de resolver aquel problema, acordando verse en siete días bajo un álamo con el fruto de la caza.

Cada cual con una red y para no perderse iban marcando el regreso con su propia orina, la que secaba la hierba. Eshu cazó un chivo, Shangó cazó un carnero, Obatalá dos palomas blancas, Yemayá cazó dos gallos, Oyá dos cocos.

El fenómeno logró que en un descuido el chivo mordiera el coco y que el carnero mordiera la corteza del álamo, Oyá en señal de desprecio le escupió la cara. Eshu sacó un machete y Oyá sus sables. El chivo y el carnero empezaron a berrear avisando a las aves que tenían las patas sucias y estas comenzaron a revolotear echando basura en los ojos de los orishas, momento que aprovecharon los animales para escapar, pero el pato que vio el fenómeno transformó su cara en gun gun y Yemayá por miedo lo soltó.

Los oshas fueron a la casa de Orula y sacrificaron, cuando regresaron a la casa de Orula con los animales a sacrificar Orula amarró la boca del chivo y dentro de la del carnero el álamo. Todos los orishas masticaron coco y escupieron los orificios de su cara para que estos no conspiraran. A las aves le lavaron las patas y al pato le cubrieron el rostro con una hoja de malanga. Así llegó la prosperidad a aquella tierra.

REFRANES DE ÌWÒRÌ ÒSHÉ

1- La pena y el dolor nunca vienen sin aspectos buenos.

2- Una sola cabeza no puede gobernar dos tierras separadas.

3- Lo malo se hace bueno y lo bueno malo.

4- El bien y el mal siempre van juntos.

5- La dulzura acaba con el trago amargo.

6- Una bella mujer que no menstrua, cómo puede ser que conciba hijos.

7- La sangre trasmite a los hijos lo bueno y lo malo.

8- Buen hijo, buen padre, mal hijo, mal padre.

9- El que no puede ser justo no puede hacer justicia.

10- El rencor del corazón altivo, no castiga a otro que a sí mismo.

IWORI BOFÚN

Hablan: Olofin, Egungún, Orúnmila, Yemayá, Eshu

La araña

La araña estaba en una situación muy mala y no podía cazar insecto alguno, por lo que fue a ilé Orúnmila y le pidió un poder para capturar sus presas. Orunla le sugirió que se escondiera bajo tierra como sus hermanas y que saliera de sorpresa para que pudiera cazar, pero ella insistía en ser superior a sus semejantes.

Orunla le hizo ebbó asegurándole poder pero le advirtió que no disfrutara de sus víctimas ni se alegrara del mal de nadie. Pasó el tiempo y la araña empezó a segregar una serie de hilos invisibles con los cuales capturaba a sus presas.

Al principio todo iba muy bien pero la araña empezó a sentir una especie de satisfacción con el dolor ajeno y sin darse cuenta se volvió un monstruo que no perdonaba a nadie.

Las hormigas que siempre perseguían a la araña aprovecharon un día en que esta envejeció y enfermó y movieron la tela, la araña salió a ver si había caído algo y notó que se estaba enredando ella misma y no había forma de escapar, las hormigas esperaron pacientemente a que esta muriera de sed y de hambre, después subieron, la partieron en pedazos y se alimentaron con ella.

La tolerancia

El loro era un animal muy sabio por lo que gozaba de privilegios, era el único animal que podía hablar con Orula. Un día presenció a un cuervo comiendo un cadáver y lleno de repulsión le habló a Orula:

—Permita el cielo que este inmundo cuervo este tan lejos de mí como lo están el oriente y el occidente.

Orula sabiendo que todo tiene una necesaria función en la vida decidió encerrarlos a los dos en una misma jaula colgándola en el bosque, donde todos los días le llevaría agua y comida.

El sabio loro pensaba molesto:

—Vaya, una cara más triste y un cuerpo tan ridículo tiene este detestable animal.

Por su parte el cuervo pensaba:

—Que mal habré hecho yo al mundo para que me encierren con este charlatán.

Los primeros tiempos fueron duros hasta que un día una jutía herida cayó sobre el techo de la jaula y murió, por más que el loro suplicaba a Orunla que se llevara el putrefacto animal este solo le dejaba su comida y partía. El cuervo se comió el animal y la peste desapareció. El aburrimiento los mataba y el loro comenzó a hablarle al cuervo llegando a ser buenos amigos. Un día en que Orunla entendió que ambos se toleraban los puso en libertad y los dos volaron ante sus ojos en la misma dirección.

El halcón y el águila

Había un rey que sentía predilección por los halcones de los que presumía tener los mejores de todo el país. Orunla sugirió sacrificar para evitar la pérdida de uno de sus halcones pero el rey no escuchó. Un día en que divisó un cuervo en el cielo, el rey soltó al más alimentado de sus halcones, después de mil giros en el aire cuando estaba a punto de apoderarse del cuervo abandonó su objetivo y salió en pos de un águila, clavándole sus garras en el cuello, hincó su pico en la cabeza y cayó el ave vencida. Todos los cortesanos comenzaron a aplaudir, mas el rey permanecía callado y reflexionando para sí. El rey mandó a hacer una corona de oro al halcón más famoso del mundo, mandó a preparar en la plaza un parco real donde coronó al halcón, pero del otro lado estaba el verdugo que lo decapitaría en presencia de todos. Entonces habló el rey:

—Los que estén de acuerdo con la decapitación del halcón agrúpense a mi derecha y los que no agrúpense a mi izquierda —entonces explicó—: nunca al súbdito le es lícito ensangrentar sus manos con sangre de su rey. El águila es el rey de las aves. Por lo tanto decapitaré a todos los agrupados a mi izquierda junto con el halcón, pues un día ellos podrán hacer conmigo lo mismo que el halcón al águila.

Los de la izquierda permanecieron en silencio entendiendo la sabiduría y dureza del rey.

REFRANES DE ÌWÒRÌ WÒFÚN

1- Lo malo se hace bueno y lo bueno inmejorable.

2- El polluelo que sigue a la gallina es el que se come en la pata de la gallina la cucaracha.

3- El odio nunca conoció el perdón.

4- Cría cuervos y te sacaran los ojos.

5- No es necesario ser primero si sabemos ser.

6- Ifá es la sabiduría que nunca se pierde.

7- Terminar lo que se comienza es signo de crear.

8- Cualquiera sabe ganar, no todos saben perder.

9- Los propósitos del corazón son revelados por la lengua.

10- Con piedad y verdad se expían todas las culpas.

ODÍ MEYI

Hablan: Orúnmila, Yemayá, Obatalá, Eshu, Osain, Oggún, Oshún

Las tres cabezas del Diablo

Orúnmila llegó a una tierra donde había tres diablos que tenían el mundo loco, en secreto hechizaban a todos.

El diablo viejo, la diabla vieja y el diablito hijo no dormían para que el bosque no tuviera paz. Orúnmila adivinó para los animales del bosque y solo los guanajos sacrificaron. Orúnmila los enseñó a danzar con la cabeza bajo el ala de modo que pudieran engañar a los diablos. Al poco tiempo ellos organizaron un certamen retando a los diablos a danzar sin cabeza. El primero en escuchar la música fue el diablo viejo, quien al ver a los guanajos danzar sin cabeza cortó la suya para colocarla en un tronco y después recogerla, ellos tomaron su cuerpo y lo tiraron por un barranco. Pero la música estaba tan buena que hasta las piedras se movían.

La diabla se fue a la fiesta y también dejó su cabeza antes de entrar al baile. Después llegó el diablito y por mucho que le explicaron dijo:

—Mi cabeza no me la quitan ni a jodía.

Por eso todavía hay Diablo en el mundo, aunque menos que antes por el sacrificio que hicieron los guanajos.

El sapo y la joven

Orúnmila llegó a una tierra y adivinó para la joven lavandera del rey pero ella no sacrificó. Ella fue a lavar ropa a un estanque y se le cayó la ropa de gala del rey. Ella desesperada comenzó a llorar y se le apareció un sapo a quien ella le dijo:

—Sapo, ve al fondo del estanque a buscar la ropa que se me cayó.

—Voy si te casas conmigo.

—Está bien, me caso contigo.

El sapo saltó hacia dentro del estanque y le entregó la ropa a la muchacha. Ella siguió lavando y por la noche regresó a su casa y se fue a acostar.

Momentos después el sapo llegó a la puerta de la muchacha y le dijo:

—Ábrete, puerta, que el hombre quiere entrar.

La puerta se abrió y el sapo fue hasta la cocina y dijo:

—Retírate, fuego, déjame pasar.

Pasó junto al fuego y fue hasta el cuarto de la muchacha. Y allí dijo:

—Bájate, cama, que me voy a acostar.

Y entonces dijo a la joven:

—Vuélvete, moza, que te voy a abrazar. Y el sapo se acostó con ella.

REFRANES DE BABA ÒDÍ MÉYÌ

1- Uno puede arrepentirse de sus acciones anteriores, pero tiene que soportar las consecuencias.

2- Las hormigas blancas intentaron pero no pueden devorar la roca.

3- El que dice calumnias de otros, rebaja su propio prestigio.

4- El que pervierte a otro trae la maldad de su casa, o la ha aprendido en su hogar.

5- Por fuerte que hable el viento a las hojas de la palma, la hierba que crece al pie de esta no le teme.

6- Un tigre no coge a un perro encerrado en una jaula de hierro.

7- Si usted no es vicioso, alguien lo es por usted.

8- El guerrero de Ifá no va a la guerra con una lanza.

9- A la mosca le interesan los cadáveres, pero no puede ningún vivo pasarle por muerto a una mosca.

10- Un hijo es nuestra continuidad de quehaceres en la vida.

11- Con qué trasero se sienta la cucaracha.

12- No se salga de sus costumbres.

13- El fruto del amor son los hijos.

14- Nunca se ha escuchado de nadie que sea rechazado en los cielos.

15- El que tiene techos de cristal no puede tirar piedras.

16- Secreto entre dos no es secreto.

ODÍ LOGBE

Hablan: Orúnmila, Oddudua, Obatalá, Shangó, Eshu, Oyá, Oggún, Las Siete Potencias

La riqueza y la fortuna

Orúnmila llega al cielo y Oloddumare lo recibió algún tiempo hasta que surgió la disputa entre la riqueza y la fortuna pues las dos querían reinar y Oloddumare les dio la oportunidad de demostrar sus virtudes en la tierra. Oloddumare pidió a Orúnmila que las guiara en la expedición a la tierra. Cuando la riqueza y la fortuna de disponían a bajar a la tierra, ambas fueron por adivinación. Solo la fortuna hizo ebbó pues la riqueza creyó no necesitarlo.

Ellas continuaron en porfía pues la riqueza decía ser la más importante. Las dos para poner a prueba sus capacidades fueron a ver a un humilde campesino que era explotado por su patrón. La riqueza le obsequió una moneda de oro y el hombre fue a la carnicería, le dio el dinero por adelantado al carnicero, pero como había gran multitud, Eshu trocó la mente del carnicero y este negó el pago de la carne, así que regresó con las manos vacías.

Enterada la riqueza montó en cólera y le dio una bolsa de monedas de oro. Eshu se transformó en ave de rapiña y le arrebata la bolsa con sus garras.

La riqueza esta vez le dio un caballo cargado con un saco de monedas de oro. Eshu se transformó en yegua y el caballo se lanzó a correr tras ella de tal modo que el campesino no pudo detenerlo.

Llega el turno a la fortuna la cual le regala un real de plata y que compre lo primero que encuentre, él compra una vara para tumbar frutas. Eshu al pasar por la carnicería colmada de gente toma un boliche y lo coloca en la punta de la vara. Al día siguiente el campesino fue a buscar frutas y encontró colgando de un árbol la bolsa de monedas y más adelante al caballo acostado con el saco de monedas. Y así la fortuna venció a la riqueza.

Las arañas salvaron a Orúnmila

Cuando el espíritu de Orúnmila encarnó en su infante cuerpo, las brujas adivinaron para el rey diciéndole que un sabio había nacido para destronarlo. Yanya la joven madre tomó al crío en sus brazos y huyó al monte para sacarlo de aquella tierra, pero los soldados del rey los perseguían. Ella se escondió en una cueva y las arañas tejieron su densa tela a la entrada de la misma.

Tan tupida era que al llegar allí los soldados, dijeron:

—Aquí no está.

La tela que cubre la entrada de la cueva tiene más de un año. Yanya agradecida a las arañas, las bendijo y desde ese día baja a la tierra desde lugares altos ayudada solo por el hilo de su tela.

REFRANES DE ÒDÍ LÒGBÉ

1- No vuelva con lo que tuvo.

2- La voz de erdibre lleva todo el ashé igbodun de Ifá.

3- No hay mujer preñada que no pueda parir un babalawó.

4- Si un padre ha olvidado a un hijo no importa cuanto tiempo tome el hijo, todavía puede implorarle al padre.

5- Orúnmila dijo: traer el cielo a la tierra y la tierra al cielo.

6- Si una madre pare a un niño, puede volver a nacer de su hijo.

7- El sordo no mantiene el ritmo, pero el fino oído sí.

8- El sentimiento anula la razón.

9- Los sueños pueden convertirse en pesadillas.

10- En el camino recto los enemigos no hacen la guerra.

ODÍ YEKÚ

Hablan: Orúnmila, Oyá, Shangó, Obatalá

La trampa del gallinero

Había un majá muy viejo que cazaba al tacto pues estaba ciego, el majá llegaba a oscuras y cuando todos dormían aprovechaba y se robaba los polluelos del gallinero. Las gallinas cansadas llamaron al gallo padre y le contaron lo ocurrido con los huevos y los polluelos. El gallo indignado fue a ver a Orunla e hizo ebbó y le mandó a colgar un ellá por la cola en el gallinero. Cuando el majá llegó y sintió el olor se tragó el pescado de un solo bocado, pero a la hora de irse las escamas y aletas superiores lo trozaban por dentro, la hemorragia no se hizo esperar y el dolor era tan fuerte que se orinó en el gallinero, entre todos los habitantes del gallinero halaron la soga y lo colgaron hasta que se disecó, de ese modo llegó la felicidad al desdichado gallinero.

El labrador y Abita

Orúnmila adivinó para un labrador que tenía dificultades con sus siembras, pero este no sacrificó. El labrador muy pronto se casó y preñó a su mujer. Esta sintió antojo de comer maíz y el labrador partió monte a dentro donde encontró un llano y cuando se disponía a sembrarlo, llegó Abita y mandó a todos sus hijos para ayudar a sembrar el campo.

A los tres días el labrador se dijo:

—Voy a aporcar el sembrado.

Llegó Abita con sus hijos y aporcaron todo el campo.

El labrador llegó contento y le contó a su mujer lo ocurrido, y ella decidió ir sola a ver el maíz.

Cuando ella llegó ya habían mazorcas y comenzó a arrancarlas, por lo que apareció Abita con sus hijos y arrancaron todo el maíz. El labrador llegó a su casa y sintió el olor de maíz tostado por lo que sospechó. El labrador enojado la llevó al sitio y vio todo el maíz en el suelo. Encolerizado cortó un cuje y le dio un cujazo a la mujer, apareció Abita con sus hijos y la mataron a cujazos.

El labrador se dio una palmada en la frente al ver su mujer muerta y apareció Abita con sus hijos para ayudar al labrador a palmotear su frente y fue tanto que cayó muerto.

REFRANES DE ODÍ YEKÚ

1- No hay sabio mayor que el tiempo.

2- Jicotea y venado no caminan juntos.

3- Ningún pájaro sabe dónde esta la trampa.

4- No hay medicina mejor que la paz para los ancianos.

5- El rabo corto también espanta moscas.

6- El pobre llora solo, el rico siempre con alguien.

7- En el gallinero al gallo peleón, todos le dan la razón.

8- Por mucho que tuvo el muerto, una caja le bastó.

9- Todos los corazones son colorados.

10- Cada cual barre su puerta.

ODÍ ORO

Hablan: Ela o Agboniregún, Obalufe, Oro, Shangó, Oshún, Yemayá, Obatalá

El rescate de la flor

En las cristalinas aguas del bendito arroyo brotó una flor que a duras penas logró ver el sol. Amiga de las flores, aves y peces nunca habló con nadie, su mirada permanecía fija en las luces del pueblo. Orúnmila le hizo adivinación orientándole poner su vista en el sol y sus instintos en sus raíces. Una tarde se escuchó el ruido de un carruaje del que salieron tres damas desnudas y un caballero vestido de hilo fino todo adornado en oro. Él habló a la flor con dulce voz proponiéndole así sociedad:

—Aquí en este apartado lugar nadie admira tu belleza.

Ella fue arrancada del arroyo al búcaro y se sabía por las aves que adornaba un lujoso local. Pasó algún tiempo y como es natural la flor comenzó a marchitarse y fue echada a la basura. Un ave la tomó en su pico regresándola al arroyo el cual estaba adornado con las flores de pascuas. Allí con la vista fija en el sol pero esta vez sin raíz murió.

El rescate del ahijado

El rey conociendo el valor de Orúnmila fue a verle pues a su tierra había llegado un traficante y temible asesino, que nadie podía atrapar. Orúnmila preguntó al rey:

—¿Sabe usted por qué ese hombre se convirtió en criminal?

Y como este no respondía le dijo:

—Por hambre.

El rey explicó a Orúnmila que el individuo tenía secuestrado a sus hermanos y mujer, le ofreció a Orúnmila mucho dinero si lograba liberarlos.

Orúnmila lo echó de su casa y le dijo que los rehenes no merecían su desvelo. Al poco rato llegó el padre de un ahijado comunicándole que su ahijado había sido secuestrado por el bandido. Orúnmila sacrificó y partió. Eshu llegó por detrás y con sus agujas pinchó la cintura del bandido, quien cayó al suelo. Orúnmila lo ató con bejucos y soltó los rehenes. Cuando la familia real llegó a palacio el rey colmó a Orúnmila de regalos y cuentan que fue traicionado por su propia familia que le arrebató la corona.

REFRANES DE ÒDÍ ÒRÓ

1- Muere quien le toque.

2- Todo aquel que encuentre la belleza y no la mire pronto será pobre.

3- Nadie muere cuando quiere, sino cuando le toca.

4- El perro que tiene un hueso en la boca no puede aullar.

5- El chiquito se hace grande, su incapacidad lo descubre.

6- El humo gobierna al mundo bien.

7- Donde un perro mea, también mea su hermano.

8- Todo el cuerpo duerme menos la nariz.

9- El que vive de ilusiones muere de desengaños.

10- Madre aunque sea de vinagre.

11- No hay peor ciego que el que no quiera ver.

12- Los hijos se crían para el mundo no para sí mismos.

ODÍ ROSO

Hablan: Orúnmila, Orisha Oggún, Oshún, Olofin, Egungún

El velero sin rumbo

Había unos pescadores que tenían un viejo velero con el cual se buscaban la vida, pero no tenían presupuesto y fueron aplazando la reparación del mismo, entonces la lluvia, el salitre y el comején debilitaron el mástil. Orunla les advirtió de hacer ebbó.

Un día llegaron a la cabaña de uno de los pescadores unos extranjeros muy bien vestidos y le ofrecieron mucho dinero si los trasladaba a otra tierra con un contrabando. El pescador les permitió pasar la noche en su cabaña y les dijo que al otro día les daría una respuesta. Los extranjeros echaron polvos en su comida y vivieron con su obiní.

Al otro día el pescador cargó su velero con la mercancía y partieron. En la travesía los sorprendió un temporal y el mástil se partió, el velero se quedó a la deriva, las olas lo sacudían tanto que todos fueron al agua, los extranjeros se ahogaron.

Cuando el pescador estaba al borde de la muerte se le apareció Oggún y lo ayudó a subir a bordo, entre los dos tuvieron que comenzar a botar toda la mercancía para que el barco no se hundiera, pero se dio la dificultad que no podían atracar pues el temporal había destruido el timón y no tenían control, así pasó el temporal y fueron rescatados dos de ellos, los demás perdieron la vida.

Las trillizas y el demonio

Orúnmila llegó a una tierra donde el rey daría a sus tres hijas trillizas en matrimonio al que adivinara sus nombres los cuales eran secretos para todos. Orúnmila sacrificó y cuando fue a poner su ebbó al pie del pozo vio a las tres jóvenes, él se ocultó y pudo escuchar cuando se llamaban por sus nombres. Él mencionó los nombres en presencia del rey y se casó con las tres. Ellos se fueron a vivir al monte donde Orúnmila tenía su casa sobre un árbol debido a un demonio que habitaba el bosque. El demonio fue a ver a Oggún para que le afinara su lengua de modo que su voz pareciera la de Orúnmila y poder llamarlas por sus nombres para que ellas le tiraran la soga y subir a comérselas.

Orúnmila adivinó y sacrificó subiendo tres enormes rocas de modo que cuando el demonio las llamó ellas en vez de tirarle la soga le tiraron las rocas matándolo y así se libraron del demonio.

REFRANES DE ÒDÍ ÌRÒSÙN

1- Mientras el cuerpo duerme, la nariz respira.

2- Una persona por sacarle los ojos a otra, se los saca a sí misma.

3- Me hice rico por mis propias manos.

4- El que no esta enamorado, no sabe lo que es el amor.

5- El sueño es el alimento que Olorun le da al hombre.

6- Uno es el mejor guardián de sus negocios.

7- Buena ayuda recibe el que se ayuda a sí mismo.

8- Luchar por sí mismo es la mejor medicina.

9- Todo lo que brilla no es oro.

10- Nuestra opción ante el nacimiento es nuestra experien cia en la vida.

11- En el país de los ciegos, el tuerto es rey.

12- El loro es conocido por la cola roja.

ODÍ JUANI

Hablan: Orúnmila, Olofin, Obatalá, Apetebí

El zapatero pobre y el vecino rico

Orúnmila adivinó para un pobre zapatero y le dijo que sin tener dinero el era un hombre rico. El zapatero trabajaba sentado en la puerta de su casa y se pasaba todo el día cantando. Sus hijos andaban harapientos por la calle y por las noches mientras la mujer preparaba la comida, él agarraba la guitarra y contento comenzaba a cantar.

Frente a ellos vivía un ricachón que siempre los miraba por su ventana y sintió pena por ellos, por lo que les regaló un saco de dinero para hacerlos felices.

El zapatero asustado cerró su casa y comenzó a contar el dinero con su mujer, aquella noche no se escuchó la guitarra, los niños como estaban jugando dentro de la casa y hacían mucho ruido, hicieron que él se equivocara en la cuenta y recibieron una zurra. Por primera vez se alteró la voz en casa del zapatero.

La mujer dijo:

—¿Qué vamos a hacer con tanto dinero?

—Pondremos un taller de zapatos.

—Soy hija de labradores y la sangre me llama al campo, compraremos una finca.

Ambos se fueron irritando y el zapatero dio por primera vez una paliza a su mujer. El vecino rico lo observaba y no entendía nada.

Finalmente el zapatero dijo a su mujer:

—El dinero nos ha robado nuestra alegría, mejor será devolverlo al vecino y seguimos nuestra vida de antes.

Las lenguas del mundo

Orúnmila adivinó para un anciano y este no sacrificó. A los pocos días el anciano partió con su nieto a una feria para vender su burro y como el animal era viejo decidió llevarlo sin ninguna carga. En eso pasaron por un lugar donde había mucha gente y dijeron:

—Miren a esos brutos, van a pie detrás del burro que si no patea, al menos se burla de los dueños.

El viejo montó al niño sobre el lomo del burro y continuó camino. Más adelante otros sujetos se pusieron a decir:

—Miren eso, el villano chiquillo montado y el viejo a pie, lo que tiene uno de pícaro lo tiene el otro de bruto.

Entonces el viejo bajó al nieto y se montó él en el burro. Y la gente comenzó a gritar:

—Que viejo más pillo, el pobre niño a pie y él encantado en el burro.

Los dos montaron al burro y más adelante una multitud gritaba de forma descompuesta:

—Abusador van a matar al pobre animal.

—Eso es nieto mío para que sepas qué son las lenguas del mundo: palos por gustos y palos por disgustos.

REFRANES DE ÒDÍ ÒWÒNRÌN

1- Usted se acuerda de Shangó solo cuando truena.

2- Una palabra de ánimo, anima al hombre.

3- Usted sabe para los demás, pero para usted, nada.

4- Por donde se sube, se baja.

5- Lo único que el hombre no puede desperdiciar es así mismo.

6- Mejor es poco con justicia que mucho con injusticia.

7- La mente planea el camino y el espíritu dirige sus pasos.

8- Oráculo hay en los labios del rey, para que el juicio de su boca sea justo.

9- El orgullo siempre es el precedente de la destrucción.

10- Es mejor ser humilde con el pobre que dividir el botín con los soberbios.

ODÍ BARA

Hablan: Orúnmila, Shangó, Obatalá, Yemayá, Oggún

La huérfana y la culebra

Orúnmila adivinó para una huérfana y ella sacrificó. Al poco tiempo ella encontró una culebrita y la crió, resultando que la culebra tenía poderes de transformar las cosas en oro. El rey enterado de la noticia se quiso casar con la joven y las primas sintieron mucha envidia, una de ellas le sacó los ojos y ocupó su lugar para casarse con el rey. Al rey no le gustó la falsa novia y comenzó a preguntar cuándo iba a hacer oro.

—Cuando llegue la luna nueva —respondió ella.

Y así lo evadió por las cuatro lunas. La culebra devolvió los ojos a la huérfana y construyó un palacio frente al rey aún más lujoso para que ella lo invitara a comer. El rey aceptó y cuando todos fueron a lavarse las manos el agua se transformó en oro. El rey enterado de la verdad regresó a palacio, ejecutó a la prima y se casó con la huérfana. El día de la boda la culebra desapareció y nunca más volvió a verla.

El contrato entre Abita y el jornalero

Orúnmila adivinó para un jornalero el cual vivía en una tierra donde no había trabajo para nadie. Él escuchó y sacrificó.

Al poco tiempo se enteró que en casa de Abita había trabajo, pero que debía tener cuidado pues Abita había matado a dos.

142

Él fue contratado por Abita y el primer trabajo que le mandó fue traer agua. Él pidió un pico y una pala, fue al río y se puso a hacer una zanja. Abita fue a ver qué hacía y al verlo preguntó:

—¿Qué haces?

—Estoy desviando el río para llevarlo a su casa.

Abita se asustó un poco y lo mandó a su casa.

Abita lo mandó a buscar leña. Él pidió un rollo de alambre, fue al monte y se puso a amarrar los árboles unos con otros. Abita llegó y preguntó:

—¿Qué haces?

— Estoy amarrando al bosque para llevarlo a su casa.

Abita se asustó un poco y lo mandó a su casa. Llegó la noche y Abita para matarlo lo mandó a dormir en los sótanos para dejarle caer un molino de hierro desde arriba, pero él que lo presentía se acostó en otro sitio y cuando sintió el estruendo dijo:

—No me piques más mosquito.

Abita se asustó tanto que al otro día le dio un burro cargado de oro para que se fuera.

REFRANES DE ÒDÍ ÒBÀRÁ

1- Peonía no sabe si se queda prieta o colorada.

2- No se puede estar en dos lugares a un mismo tiempo.

3- El matrimonio es un palacio de dos puertas, la principal y la falsa.

4- Construir es duro, destruir es fácil.

5- El camino más rápido y seguro es el camino recto.

6- El trono que no este basado en la justicia tarde o temprano es derribado.

7- Todo el que atienda a sus palabras habla bien, el descuidado pronto se arrepiente de lo que dijo.

8- La contienda casi siempre es antecedida por el chisme.

9- El que guiña los ojos nada bueno trama.

10- Más vale un bocado seco con paz, que un manjar con discordia.

ODÍ KANA

Hablan: Orúnmila, Eshu, Olokun, Oloddumare, Afé Shangó, Oshún

El pan de la longevidad

Orúnmila llegó a una tierra donde había guerra con los Omo Ogu, por lo cual allí la mayoría moría joven.

Orúnmila llegó a la plaza pregonando que vendía pan de la longevidad y como la gente no salía Orúnmila sospechó que no tenían con qué pagar, entonces cambió el pregón diciendo que regalaría el pan. Algunos salieron y pagaron bien, otros lo tomaron gratis y salieron difamando de Orúnmila así:

—Es posible que este pan tengamos que agradecerlo de por vida, vamos a otra tierra lo vendemos y compramos de nuevo pan.

Dicho y hecho, fueron a la tierra de los Omo Ogu que con sus poderes hipnóticos lograron obtener el pan de la longevidad y venderles el pan del infortunio.

Como es natural ellos continuaron en las mismas y fueron a casa de Orúnmila a reclamarle, que a través de este Ifá descubrió el deshonesto incidente y les respondió apenado que ya nada podía hacer.

No se baila en casa del trompo

Cuando el trompo se disponía a bajar a la tierra partió sin hacer ebbó y los carpinteros lo hicieron con maderas cortadas fuera de luna la cual tenía un nudo en su centro interior que nadie veía. El trompo se casó con la puya, pero no podían

145

procrear y por esta razón la puya lo abandonó. Muy cerca de aquel lugar vivían pequeñas puntillas, las que envidiaban la prosperidad del trompo y lo bien que este bailaba. Enteradas estas que el trompo no tenía puya lo animaron a hacer una fiesta en su casa y le avisaron a las termitas para que en un descuido entraran por el orificio que la puya había dejado y lo roeran por dentro.

El trompo fue a casa Orúnmila e hizo ebbó y Oggún en agradecimiento le construyó una puya, vació su interior y lo rellenó con bogbo igui y brea.

Las puntillas también fueron al baile y comenzaron a llamar al trompo, como este no salía se pusieron a bailar. De pronto el trompo apareció bailando y las puntillas al verlo se les metió el Diablo en el cuerpo y trataron de pincharlo, pero el trompo giraba tan rápido que lanzaba las puntillas por el aire y estas con sus puntas mataban a las termitas; las puntillas abochornadas abandonaron la fiesta.

REFRANES DE ÒDÍ ÒKÁNRÀN

1- El rico envidia al pobre.

2- En casa del trompo no se puede bailar.

3- El enfermo cuando no puede ser curado puede ser matado.

4- Si bien no te he hecho, daño tampoco.

5- Un buen hijo es mejor que un tesoro.

6- Lo que se fabrica no puede ser destruido por quien lo fabricó.

7- El hombre que construye es inteligente, si destruye su obra es un ignorante.

8- Todos sabemos el día de nuestro nacimiento, pero nadie sabe el día de su muerte.

9- El hijo honrado comparte la herencia con sus hermanos.

10- El malhechor acecha a la lengua detractora.

ODÍ OGUNDÁ

Hablan: Orúnmila, Oggún, Yemayá, Oshún, Eshu

La promiscuidad

Había un rey que pretendía poseer a la doncella más hermosa del reino, largo tiempo llevaba probando y ninguna le satisfacía. Orúnmila al ver la promiscuidad le aconsejó hacer sacrificios para tener felicidad duradera, pero este se negó. Un día el rey encontró a una joven de la cual no se despegaba ni un segundo, favorecía mucho a su familia y todo eran halagos. La fama de la belleza de la joven fue tal que un poderoso rey le declara la guerra si no le entrega a la joven; el pueblo se negó a luchar, y sacrificaron a la joven en presencia del rey, este avergonzado lloraba reprochándose no haber muerto junto a ella. Desesperado llegó a casa de Orúnmila y ofreció mucho dinero para eliminar la frontera entre el cielo y la tierra lo que Orúnmila le respondió:
—Ella te espera sin rencor en el cielo.

Los sabios y los fuertes

Cuando Obatalá creó al hombre y a la mujer, ella metió mano a parir y llegaron a tener 24 hijos. Al poco tiempo Obatalá llegó de recorrido con el fin de reafirmar a sus hijos y preguntó cuántos hijos tenía a lo que ella por pena dijo que tenía 12. Obatalá dijo:
—Mañana estén preparados tú, tu marido y tus hijos que haremos ceremonia en el río.

Ella se presentó con sus 12 hijos más débiles físicamente, mientras su esposo trabajaba con los 12 más fuerte la tierra.

Los que fueron consagrados ganaron en inteligencia. Desde ese día los hombres se dividieron en dos grupos, los sabios que guían y los fuertes que sirven.

REFRANES DE ÒDÍ ÒGÚNDÁ

1- La deuda con muerto, es mala comida.

2- Al que velan no escapa.

3- Estira la mano hasta donde alcance.

4- El adulterio causa la guerra.

5- Las ofensas no crean amor.

6- Lo que usted no puede comer deja que lo coman los demás.

7- El que lucha guerra ajena pierde su paz.

8- No quieras lo que no te pertenece por derecho propio.

9- El que maltrata a un hijo ajeno, maltrata al suyo.

10- La furia de un monarca anuncia muerte si no hay un sabio que lo aplaque.

ODÍ SA

Hablan: Orúnmila, Eshu, Olofin, Eggún, Yemayá

Los colmillos y la daga

Había un rey que quedó viudo con siete hijas; muy cerca de allí vivían siete brujas, una de ellas tomó la forma de una hermosa mujer y comenzó a acercársele al rey. Orúnmila aconsejó sacrificar pero el rey no escuchó. Cuando la bruja logró su objetivo comenzó a planear cómo deshacerse de las princesas y del rey. En el bosque vivían siete gigantes que eran muy respetados porque no hablaban con nadie. Como estos no tenían mujeres la bruja logró amarar a las princesas en un árbol cerca de la casa de los gigantes desnudas, para que las fieras las devorarán o los gigantes las violaran, pero esto no ocurrió. El rey al ver que pasaba el tiempo y sus hijas no regresaban las dio por muertas. La bruja a través de sus hechizos descubrió que ellas aún vivían. Puso aceite de escorpión en una daga y partió a dar fin a sus vidas, pero ocurrió que en la puerta había un perro que al ver a la bruja se le tiró, ella le clavó la daga y él la mató con sus colmillos. El rey enterado regresó a casa de Orúnmila, casó a sus hijas con los gigantes y entre todos vencieron a las brujas.

El sabio y el ignorante

En cierta región vivía un anciano al que todos conocían por Banshé el ignorante. Ocurrió que los constantes deslaves de la loma inundaban de lodo la región, todos los pobladores se fueron retirando y solo quedó el ignorante con su familia. Banshé fue a casa de Orúnmila y sacrificó. A los pocos días un hombre sabio fue a decirle que lo mejor que hacía era abandonar el sitio y Banshé el ignorante dijo que convertiría la loma en llano y la cosecharía. El sabio se rió y lo dio por loco. El ignorante respondió así:

—En mil reflexiones de un sabio hay error y en mil reflexiones de un loco hay verdad.

Sonrió el sabio y dijo:

—Hermano, efímera es nuestra vida, ya eres un viejo para cambiar la eterna obra del creador.

Esta fue la respuesta del ignorante:

—La eternidad viva es más fuerte que la eternidad muerta. Sí, yo he de irme pronto, pero no moriré pues ahí están mis hijos, mis nueras, mis nietos, mis bisnietos, hoy somos 30 después seremos 1000 y si nuestros vecinos ayudan seremos millones.

Ocurrió que los pobladores desesperados por la larga travesía del desierto regresaron y entre todos lograron convertir la loma en llano cultivable.

REFRANES DE ÒDÍ SÁ

1- Estire la mano hasta donde alcance.

2- Estire los pies hasta donde alcance la sábana.

3- Bibijagua carga lo que puede.

4- Ojo por ojo y diente por diente.

5- Ayer fue ayer, mañana será mañana, pero hoy bebe y come.

6- Acostarse en una pequeña estera vale más que acostarse en la tierra.

7- Dos leopardos no pueden morderse uno a otro en la cabeza.

8- Lo que se fue vuelve.

9- La cabeza de un cadáver no puede curar.

10- Los mayores enseñan a los menores, los menores salvan a los mayores.

11- Veleta que mueve el viento, se mueve, pero no se cae.

ODÍ KA

Hablan: Oggún, Eshu, Orúnmila, Ori

El príncipe y el remolino

Orúnmila adivinó para el rey, quien no tenía hijos, y le pidió sacrificios por su futuro hijo, el cual sería un Diablo, pero el rey no sacrificó. Pasó el tiempo y en cuanto creció el príncipe solo hacía maldades, tales como enfangar las sábanas de los reyes, echar exceso de condimentos a las comidas, y todo lo malo que se le ocurría.

Un día el rey se violentó tanto que desesperado dijo:

—Ojalá que venga un remolino y te lleve.

Al poco rato llegó un remolino y se llevó al príncipe dejándolo enganchado en la copa de una ceiba. El rey desesperado fue a casa de Orúnmila para que con sus rezos el hijo cayera de allá. Cayó el cuerpo entero, pero sin huesos, porque el remolino se los había molido.

La maldad de la Apetebí

Orúnmila sacrificó por su hijo y lo entregó a un maestro para que lo entrenara en las artes de Ifá. Pero ocurrió que la mujer del maestro muy pronto le tomó mal afecto al muchacho, pues era muy listo y aprendía mucho más de prisa que el suyo. Por más que se esforzaba el omo Orúnmila en complacerla, ella decía que él todo lo hacía al revés.

Las tempestades se calman, pero los escándalos de aquella vieja regañona no tenían fin. Siempre tenía un pretexto para gritarle y recriminarle todo lo que hacía. Un día ella tomó al chico y lo abandonó en pleno desierto, llegó la noche y el frío lo entumía. En eso apareció una serpiente y él comenzó a rezar lo aprendido con su maestro y el reptil se transformó en Osain, quien sintió lástima por él, lo cubrió con un manto de oro y le regaló un cofre lleno de oro. Al otro día le dio un caballo y lo guió de regreso a la casa.

Cuando llegó, la malvada mujer le preguntó:

—¿Cómo obtuviste todo eso?

Y él dijo:

—En el desierto hay un ser muy bueno que me lo regaló.

Al otro día la infame mujer dejó a su hijo en el mismo sitio y como este no conocía ningún rezo la serpiente lo mordió, matándolo, y ella solo recibió el cadáver de su hijo.

REFRANES DE ÒDÍ ÌKÁ

1- En la tierra no hay justicia divina.

2- Para vivir en paz es necesario esconder los méritos que los defectos.

3- El que aplaude los actos de un malvado es de su propia calaña.

4- El vampiro se acuesta boca abajo, su hijo se acuesta boca abajo, pero si ayatola se acuesta boca abajo su estómago le ahogará el cuello.

5- El cuerpo se pudre cuando muere.

6- Gallo anhela ser general y el chivo rey.

7- Nadie es más honrado por Olorun que el que ve morir en paz a su padre.

8- Talismán es el soborno ante los ojos ambiciosos.

9- El que cubre una falta busca afecto, pero el que la delata separa a los amigos.

10- Quien se rebela contra su destino solo encuentra obstáculos.

ODÍ TRUPÓN

Hablan: Olofin, Orúnmila, Shangó, Oshún, Eshu

Los amores de Yobolo y Abukú Orun

Yemayá al no poder concebir adoptó a Yobolo. Orúnmila le profetizó desagravio por lo que le mandó a ver a Osain, quien le entregó un poder consistente en una tinaja para que no se ahogara en el mar. Yolobo creció y le recriminaba a Yemayá el no proporcionarle un porvenir y esta apenada le dio todo cuanto tenía, sus remos, su bote, un pescado, un caracol cobo, un coco, la tinaja de Osain y su bendición.

Partió Yobolo y estuvo remando siete días hasta que se topó con Abukú Orun la fugitiva hija de Olokun, verse y enamorarse fue lo mismo. Juntos fueron al palacio de Olokun el cual en su única entrada estaba custodiado por un gigantesco pulpo negro que tenía encadenados a sus tentáculos ocho deidades que por orden de Olokun le permitieron pasar. Ya junto al trono estaba Olokun con sus ocho hijas que permanecían encadenadas a los pies de su trono. Abukú Orun suplicó a su padre que le permitiera vivir con su amado allí y Olokun accedió. Permaneció allí por siete años disfrutando sin envejecer ni morir. Un día se acordó de su madre y decidió visitarla llevando consigo a Osain, cuando llegó a la costa por más que buscó su casa no la encontró, entonces se le ocurrió destapar la tinajita para encontrar respuesta a sus interrogantes, salió de esta una nubecilla que inconscientemente inhaló y de repente se llenó de canas, arrugas, dejó de respirar cayendo sin vida, cayendo sobre el suelo que lo vio nacer.

La procreación

Había una tierra donde vivía el doble de mujeres que de hombres debido a la guerra. Ikú se los iba llevando de uno en uno hasta que se exterminaron los hombres en aquella tierra. Las mujeres fueron a casa de Orúnmila e hicieron ebbó, dieron una fiesta donde ellas mismas tocaban los tambores. Shangó que estaba de viaje al oír de lejos el sonido de los batá se dirigió al lugar y al llegar y ver tanta comida, bebida y mujeres se quedó, las mujeres eran tantas y tan lindas que Shangó no sabía con cual quedarse. Ellas lo embriagaron y lo encerraron para que fuese cimiente de su raza. Shangó al principio se sentía muy bien, pero después empezó a sufrir el encierro y quería irse, por lo que en el primer descuido escapó, fue a su tierra y regresó con muchos hombres, los cuales por el entusiasmo partieron sin hacer ebbó. Se les despertó el instinto y las mujeres los dominaban por el placer que les daban. Desde ese día son los hombres los que andan tras las mujeres y estas viven de sus encantos.

Los nueve juicios de Orun

Hubo un rey que estaba muy contento por la llegada al mundo de su primogénito.

Mandó a organizar una fiesta. Los sabios ancianos le recomendaron ir a ilé Orúnmila, pero como era incrédulo no fue. Los ancestros a través del sueño le mandaron el mismo aviso pero rehusó. Nació el príncipe y todo iba bien hasta que el príncipe se hizo un hombre y se dedicó a conquistar las mujeres comprometidas de palacio, dejó de ocuparse del padre, el cual había envejecido satisfaciendo los caprichos de su hijo.

Un día el príncipe oyó hablar de un tesoro oculto en tierras lejanas. Pidió permiso a su padre y como este no se lo dio, se fue a capricho. En aquella tierra había una enfermedad rara donde todos vomitaban sangre y morían.

El príncipe regresó gravemente enfermo, la sombra de Ikú se proyectaba en su aura. El rey acomodó a su omo en una lujosa alcoba y buscó a los mejores médicos, pero los maridos de las mujeres seducidas decían:

—Si este se recupera comenzará a asediar a nuestras mujeres.

Por lo que fueron de noche y lo asfixiaron con una almohada. El rey desesperado fue a casa de Orunla y le dijo:

—¿Dime qué puedo hacer por mi hijo?

Orunla respondió:

—El que por su gusto muere la muerte le sabe a gloria.

Orunla orientó dar honras con abundante comida a todos para que el tiempo del príncipe en las nueve casas de Orun fuera mínimo y hacer ebbó para que Oloddumare recibiera el alma del príncipe en ara onu. Desde ese día se hacen fiestas a los difuntos y se lloran a los recién nacidos.

REFRANES DE ÒDÍ ÒTÚRÚPÒN

1- El que por su gusto muere, la muerte le sabe a gloria.

2- Él esta aplicándose en su obra.

3- Del otro mundo fiscalizan las cosas de este.

4- Los muertos lo ven todo.

5- Las discusiones son de mal agüero.

6- El que se separa se muere y no se llora.

7- Es mejor pelear con una leona parida, que con un testarudo.

8- El que defiende al maleado para condenar al justo muy pronto será devorado por el malhechor.

9- De nada sirve el dinero en manos del necio para comprar sabiduría, al sabio le es dada gratis.

10- Un corazón alegre revitaliza al cuerpo.

ODÍ TAURO

Hablan: Obatalá, Eshu, Orúnmila, Eggún

La reina destronada

Había una reina destronada, su marido el rey asesinado, y ella perdida en el bosque llegó a casa de Orúnmila y sacrificó para mejorar de su infortunio. Salió al camino encontrándose con una caravana de contrabandistas los cuales llevaban armas a la tierra de su padre, el rey, con el fin de vendérselas. Se unió a la caravana cuando de pronto, en la oscuridad de la noche, una manada de elefantes salvajes destruye totalmente la caravana quedando ella como única sobreviviente, así continuó viaje con la jaula de los prisioneros. Al llegar, tan mal aspecto tenía, que los chiquillos la tomaron por loca. El rey padre sin reconocerla la protege por traer a su reino armas y prisioneros, ella cae a sus pies y él la reconoce como su hija, la que había dado en matrimonio a un rey. Ella fue colocada en su reinado como princesa.

El rey que apostó con el Diablo

Había un rey que era el terror de sus enemigos, poseía muchas cualidades, pero un terrible defecto, era apasionado al juego de los dados. Aquel rey tenía una esposa tan bella que los mismos dioses la admiraban. Orúnmila orientó al rey sacrificio y el rey no obedeció. Un día llegó al pueblo un Diablo disfrazado de ilustre caballero retando al rey a jugar, el rey fue perdiendo y apostando, quedando desnudo apostó la ropa de su reina dejándole solo una tela que le cubría, arruinados fueron al bosque pues nadie les daba asilo. Padecieron de tormento, hambre y solo comían raíces. A duras penas encontraron una gruta para guarecerse y allí apareció el Diablo apostando todo lo que tenía por la túnica que cubría el cuerpo de su mujer, el rey volvió a perder y esta vez el Diablo apostó todo contra su alma. Cuando el rey perdió por un hechizo lo convirtió en cerdo, el cual ató a un árbol aceitero y de comer sus frutos murió.

REFRANES DE ÒDÍ ÒTURA

1- La vida es como las hojas de una palmera en el camino.

2- La cabeza de codorniz se volverá cabeza de buey en tu caso.

3- La mano que no puedas cortar, bésala.

4- Un padre siempre desea lo mejor para sus hijos.

5- La longevidad y la vejez dependen de la cabra salvaje.

6- El azadón es el único que cuida el bienestar de la tierra.

7- La bendición de la madre es la manta que nos cubre.

8- El soborno compra la mente y sentencia el alma.

9- Quien multa al justo y golpea al noble no quedará impune.

10- El de espíritu sereno sabe escuchar, solo el que escucha entiende.

ODÍ LEKE

Hablan: Orúnmila, Oshún, Olokun, Yemayá, Eshu

Los deseos de un mendigo

Había un mendigo que no tenía más recursos para vivir que cazar serpientes e ir de puerta en puerta pidiendo limosnas. Harto de su destino fue a casa de Orúnmila que le recomendó no interferir el sabio plan de Oloddumare con su vida, pero el mendigo insistió tanto que le fue dada la virtud para satisfacer todos sus deseos. Ocurrió que había un guardia que oprimía a los mendigos con impuestos y él deseó ser guardia llegando a oprimir a sus semejantes aun más que el antiguo guardia. Al cabo de algún tiempo deseó ser perfecto, después el emisario del rey, después rey, como la sequía lo oprimía deseó ser lluvia, después ser sol, mas ocurrió que una nubecita creció hasta taparlo y deseó ser nube, hasta que una montaña le impide el paso y desea ser montaña. Sin embargo, al pie de esta unas serpientes roen sin cesar su base y con el tiempo la derribaran, por lo que deseó ser serpiente, de pronto llega un mendigo cazador de serpientes y el mismo reconoció las sabias palabras de Orúnmila diciendo:
—El más grande, más fuerte y libre es el mendigo.

Oggún quedó impotente

Oggún acostumbraba a pedir dinero al garrote a Oshún y siempre con su trabajo en la herrería pagaba a tiempo. Un día Oggún se accidentó trabajando y no podía pagar. Oshún mandó a sus secuaces a cobrar, este decía mentiras para ganar tiempo por lo que Oshún lo acusó de ladrón.

Un día regresaron los secuaces de Oshún y Oggún dijo que tenía el dinero debajo de un enorme yunque, los secuaces trataron de alzar la mole y como no pudieron hicieron que Oggún lo cargara y este de la fuerza se quebró, cuando los secuaces descubrieron el engaño metieron a Oggún dentro de un saco y lo tiraron loma abajo y rodando llegó a un camino.

Por allí pasaron muchas personas y ninguna recogió el saco. Hasta que pasaron tres mujeres a las cuales les llamó la atención aquel saco que se movía, lo desamarraron por la boca y descubrieron a Oggún mal herido, lo llevaron a su tierra en la que los hombres estaban osidale (impotentes) y nadie sabía el motivo.

En cuanto Oggún se restableció empezó a ofikaletrupon, muy pronto comenzaron las dificultades de Oggún con los maridos.

Al cabo de algún tiempo los hijos de Oggún comenzaron a morir y él quedó osidale, por lo que fue a casa de Orunla que le dijo:

—Todos en tu tierra tienen que hacer ebbó y es que las mujeres se afeitan el obó, razón por la cual los hombres todos están osidale.

Orunla orientó un homenaje a los Ibbeyis para alargar la vida de los hijos, así fue como se restableció el orden en aquella tierra.

Ashé Ewé Osain

Oggún tenía una plantación de ñame de la que se alimentaban todos en aquella tierra. Un día llegó una plaga de insectos orugas que arrasaban con las plantaciones de la región. Todos los campesinos tomaron sus herramientas de trabajo y le exigían a Oggún quemar sus plantaciones para que la plaga no los afectara a ellos. La candela se esparció y quemó una parte del territorio de Osain, quien con sus hierbas curaba a los enfermos de la zona. Pronto las enfermedades y el hambre azotaron a aquella zona. Las mujeres se degradaron a tal punto que ofikaletrupon por un plato de comida.

Todos los oshas fueron al monte a pedir a Osain sus ewes para curar sus enfermos y dar ashé a los atributos santorales, pero este no quería. Los osha fueron a ver a Orunla quien antes de partir hizo ebbó con coco mascado con iyefá. Entró al monte soplando y llamando con cantos a Osain, este al verlo le dijo:

—Estoy muy ofendido con las faltas de los hombres y solo los perdonaré si de tu boca sale ashé.

Orunla sopló a los cuatro vientos cocos y ashé, Osain al verlo dijo:

—Desde hoy solo Orunla tendrá el poder de dar ashé al ewe para que estas fuesen curativas y consagraran los atributos religiosos.

Desde ese día todos empezaron a sembrar llegando así el alimento a aquella tierra.

REFRANES DE ÒDÍ LÈKÉ

1- El azadón nunca abandona el trabajo.

2- El infortunio nace de la malevolencia y no del destino.

3- Hazte digno de todos los favores pero no hagas ni aceptes ninguno.

4- Un perro sordo no sirve para cazar.

5- Un machete nunca se enferma.

6- Un carnero nunca se opone al temor.

7- Si no tienes nada bueno que decir cállate.

8- El que se encoleriza contra un buen consejo se aísla a sí mismo.

9- El imprudente revela los secretos de su corazón.

10- Al ateo siempre lo acompañan la deshonra y la afrenta.

ODÍ SHE

Hablan: Orúnmila, Oshosi, Oshún, Olofin, Eshu

El burro y el perro

Orúnmila adivinó para el perro que pasaba las noches detrás de las perras en celo y el día durmiendo, él escuchó y sacrificó. Un día en que su amo dormía profundamente entró a su casa un ladrón, en el patio estaba un burro amarrado que pasaba todo el día trabajando pero no sacrificó. El burro le dijo al perro:

—Asunto tuyo es ladrar para despertar al amo —y este respondió:

—El amo no se acuerda de mí y apenas me da de comer.

El burro rabioso comenzó a rebuznar tan fuerte que despertó al amo, quien encolerizado por haberlo despertado mató al burro a palos.

La bruja y el crío

Orúnmila adivinó Ifá para un crío de tres meses, el cual era distrófico, pero ellos no sacrificaron. Una noche sintió algo extraño alrededor de su casa. Puso sobre aviso a su esposa, los dos se escondieron en un lugar del cuarto y vieron cuando una bruja vino a pegarse al ombligo del crío para chuparle la sangre.

Entonces el padre fue a cogerla por el pelo para cortarle la cabeza pero ella era una especie de éter o vapor imposible de atrapar, ella dijo que había venido de lejos buscando alimento para sus hijos, el pobre hombre le ofreció todos los alimentos que tenía para que dejara de alimentarse con la sangre de su hijo, pero ella no lo aceptaba. Él regresó a casa de Orúnmila, le sacrificó a la bruja y desde ese día su hijo mejoró.

REFRANES DE ÒDÍ ÒSHÉ

1- Absuelto por falta de pruebas.

2- Si un querido me bota me busca otro.

3- El río arrastra a la persona adulta cuando no conoce su peso.

4- Los ojos protegen la cabeza.

5- Una cosa pequeña puede acarrear estragos incalculables.

6- No cuente con los pollos hasta que no salgan de los cascarones.

7- Los humanos parásitos son peores que lo parásitos humanos.

8- Gallina con trasero podrido no pone huevos.

9- La boca del ignorante es su ruina, la del sabio su fortuna.

ODÍ FUN

Hablan: Orúnmila, Eshu, Obatalá, Eggún

El falso adivino

Había un neófito al cual le pareció poco lo que su oluwo le pagaba, decidió ir por el mundo a correr fortuna sin haber completado su período de adiestramiento. Ordenó a su mujer que fuera proclamando por todas partes que su esposo era un gran adivino. Robó el discípulo el caballo de un hombre rico que posteriormente adivinó hallando la oportunidad de lucirse, donde lo colmaron de presentes y bienestar. En palacio desaparecieron unas alhajas de mucho valor y el rey mandó a encerrar al adivino en una de sus habitaciones donde maldijo su propia lengua diciendo:

—¿Por qué has hecho esto maldita lengua?

La ladrona doncella que se llamaba Lengua lo escuchó y se confesó diciendo donde las había escondido. Pero ocurrió que en palacio había un awó que al ver los manejos del aprendiz, pidió al rey una última prueba. Le trajo una olla bien tapada dentro de la cual había una rana y él dijo que dentro había un caracol, el rey enterado pensando que estaba de acuerdo con los ladrones lo mandó a decapitar.

El árbol hechizado

Hubo un hechicero que se enamoró de la hija del rey, como ella lo despreciaba el hechicero clavó una estaca que echó raíces convirtiéndose en un árbol y dijo que si la princesa se casaba con alguien que no tuviese poder para poder arrancar dicho árbol ella moriría al instante. Muchos lo intentaron y murieron por el maléfico árbol. Orúnmila llegó a aquella tierra y pidió la mano de la joven logrando arrancar el árbol. El hechicero enterado decidió acabar con él y logró por medio de la calumnia que el pueblo echara a Orúnmila al pozo, donde estuvo siete días sin comer. Ocurrió que subió el nivel del agua y Orúnmila salió a flote. Orúnmila llegó a palacio donde todos lo daban por muerto, el hechicero al saberlo murió de rabia y Orúnmila pudo casarse con la princesa.

REFRANES DE ÒDÍ ÒFÚN

1- Mientras más lejos mejor.

2- Edidi los sujeta en la casa y ofún los bloquea en el bosque.

3- Si el pelo se enreda solo un peine puede desenredarlo.

4- Nacer es fácil, vivir difícil.

5- El que se pierde es que no quiere ver su camino.

6- El que vive en la niebla no conoce a su prójimo si no se hablan.

7- La noche es la madre del día, de la oscuridad nace la luz.

8- Cuando la mente oscurece el hombre pierde su destino.

9- La fortuna del rico esta en sus murallas, la del pobre en su mirada.

10- Quien responde antes de escuchar cosecha su vergüenza.

IROSO MEYI

Hablan: Orúnmila, Shangó, Olokun, Yewa, Ibbeyis, Obatalá, Yemayá

El consejo de oro

Había un hombre que estaba en muy mala situación y llegó a casa de Orúnmila pidiendo empleo a lo que este dijo:

—No tengo dinero pero mi pan lo puedo compartir contigo.

Allí trabajó durante mucho tiempo. Un día la suerte mejoró y Orúnmila ya podía pagar su trabajo y le preguntó antes de partir a su tierra:

—¿Quieres que te pague tu trabajo, o que te de un consejo?

—De todas formas, hasta ahora he sido pobre, que más da seguirlo siendo.

Y Orúnmila le dijo:

—Una lengua corta mantiene a una gran cabeza sobre su cuello.

Él se puso en camino y llegó a una taberna. Cuando se puso a comer, al poco rato el dueño de la casa se apareció con una mujer amarrada con una cadena al cuello; la ató a la pata de la mesa y después de comer echó las sobras a su mujer. El hombre intentó preguntar por curiosidad, pero recordó los consejos de Orúnmila. Cuando el hombre había conversado por largo rato, el dueño preguntó por qué él no le preguntaba los motivos de tener a su mujer amarrada. Y él respondió que no era de su incumbencia.

Entonces, el dueño de la mujer dijo:

—Mira, esa mujer, se ha ganado la libertad hoy. Yo dije que el día en que alguien llegara y no me preguntara sobre mi proceder, ese día ella sería libre.

Entonces lo entró a un cuarto lleno de esqueletos y le dijo:

—Todos estos fueron los que preguntaron.

Y el dueño lo premió con una suma de dinero.

REFRANES DE BABÁ ÌRÒSÙN MÉYÌ

1- Hay quien se saca un ojo por ver a otro ciego.

2- Nadie sabe lo que hay en el fondo del mar.

3- El que parió derecho, parió jorobado.

4- Si un pájaro quiere picar la pringamoza que se arme de un pico de acero.

5- Cuando el águila vive, el canario suelto no alcanza el nombre de obbá.

6- El martillo robusto marca el piso con su cabeza.

7- Cuando el fuego se extingue, el sol se oculta, mas el rojo de la cola del loro no se apaga nunca.

8- Sin obstáculos no hay éxito.

9- Las cosas de este mundo todas tienen un fin.

10- Quien sacrifica a la divinidad del infortunio, de seguro vivirá tranquilo.

11- El descuido es padre del robo.

12- Con ojos cerrados no se logra avanzar.

IROSO UMBO

Hablan: Orúnmila, Eshu, Yemayá, Olofin, Oggún

El guajiro y el rey

Había un rey apasionado a la caza pero no tenía suerte y regresaba sin una buena presa. Siempre se topaba con un guajiro que cuando no traía un venado, traía un búfalo. El rey sintió envidia e invitó al guajiro a cazar. Pero el guajiro fue a casa de Orúnmila y sacrificó.

El guajiro sacó un caldero de harina hirviendo para el camino. El rey vio aquello que hervía sin candela y preguntó que cómo podía hacerlo. El guajiro dijo que le daba un halón al borde del caldero y ya. Entonces el rey le ofreció dinero por el caldero pero el guajiro no quiso vender, hasta que le dio diez mil caracoles. El guajiro fue a casa de Orúnmila y después de agradecer se perdió. El rey invitó a otro rey a cazar y después de presumir de su ingenio, puso harina dentro del caldero y claro esta, se formó el lío, que cuál lado le halo, que si uno, que si otro, pero solo hizo el ridículo, pues la harina nunca se cocinó.

El astuto y el torpe

Estaban dos ancianos ya cumplidos esperando la llegada de Ikú. Ellos se pusieron a conversar qué hacer para poder entrar al reino de Oloddumare. El más astuto dijo:

—Iré a casa de Orúnmila —mientras que el torpe dijo:

—Para qué ir a casa de Orúnmila si mis días están contados sobre la tierra.

Ocurrió que llega Ikú y los lleva hasta las puertas del cielo donde se encontraron a un portero que les dijo:

—Hay que entrar a caballo.

Ellos se van y empiezan a pensar cómo entrar. Entonces el astuto le dijo al torpe:

—Haz de caballo y así los dos entraremos.

Van para la puerta del cielo otra vez, tocan y sale el portero, que ve montado al astuto sobre el torpe, y dice:

—Pase usted y deje el caballo afuera.

REFRANES DE ÌRÒSÙN UMBO

1- El que nació para cabeza si se queda en la cola es malo.

2- El sacrificio será recompensado.

3- Por mucho que madrugue siempre lo coge la noche.

4- No vaya tan de prisa para que pueda llegar.

5- El que persevera triunfa.

6- Lo barato cuesta caro.

7- Lo único que el hombre no puede perder es su cabeza.

8- Guayabito sopla y come.

9- Saber perder es una forma de ganar.

10- La dádiva del hombre lo lleva ante la presencia de los grandes.

IROSO KALEKUN

Hablan: Orúnmila, Eshu, Osain

La perdición de los hijos de Elegguá

Cuando Olofin creó al mundo dio a cada deidad una posición para reinar y criar a sus hijos. A Elegguá le dio 101 posiciones. Todos los hijos de las deidades sabían dónde encontrar a sus padres en momentos de duras pruebas. Pero cuando los hijos de Elegguá lo buscaban en el monte él estaba en el pueblo y cuando lo buscaban en la loma estaba en el llano.

Ikú, Arun, Ejo, Ofo, etc., llegaron a la tierra y como es natural todos los hijos se refugiaron bajo la protección de sus padres menos los omo Elegguá, los cuales desorientados corrían de un lugar a otro como locos, cosa que facilitaba aún más ser devorados por los osobbos.

Elegguá desesperado fue y tocó puerta por puerta a los oshas para que lo ayudaran a salvar a sus hijos. Oshún le regaló miel, mientras que Oggún, Oshosi, y Azowano se pusieron a ayudarlo, pero eran muchos los que morían en desigual guerra.

Elegguá fue a ver a Olofin para que lo dividiera en 101 partes y poder salvar a sus hijos pero este le respondió que ningún osha podría tener 101 otá y lo remitió a Orúnmila quien lo llevó a 101 posiciones y de cada una tomó un secreto, elemento, colocó la otá sobre esto y Elegguá tuvo el poder de estar en todas las partes al mismo tiempo.

Elegguá en agradecimiento pidió el mismo poder para aquellos que lo ayudaron y sellaron el pacto que todos los omo Elegguá en su iniciación de osha debían llamarse Eshu y montar a su leri este fundamento en memoria de la unión de Elegguá y Eshu.

El buey y el burro

El burro y el buey vivían en una misma finca donde el buey envidiaba al burro, pues mientras él surcaba la tierra a punta de aguijón el burro llevaba a pasear al amo. Un día lo sedujo así:

—Cuán dichoso eres compañero pues poco es tu trabajo, tienes quien te almohaza y limpia tu cuerpo con agua fresca en cambio a mí me dan por comida malojas medio secas y duermo sobre el estiércol.

Y el burro le respondió:

—Merecido es el trabajo por dejarte hacia donde los demás quieren, te sacrificas por quien no lo merece, no te tratarían de ese modo si tuvieras tanto valor como fuerza. Rebélate, cornea y patea, si te traen mala comida no la comas y verás que pronto estarás muy bien.

El buey puso en práctica los consejos del burro y el amo al pensar que estaba enfermo ató al burro al yugo y lo puso a realizar la dura faena.

El burro fue a casa de Orúnmila por adivinación y sacrificó.

Y le dijo al buey:

—He oído decir que mañana irás al matadero pues no te repones.

Al otro día el buey comió las secas pajas y se ató al yugo como nunca.

El pacto con Ikú

Era un awó que tenía nervios tensos como una cuerda, siempre discutía en voz alta, no tenía tranquilidad para sentarse a estudiar. Un día se vio este Ifá y orugbo poniendo el ebbó en el mar. Allí llegaron dos espíritus, uno representaba la inspiración y el otro el comercio, ellos proyectaron en su mente la imagen de una mujer en cinta que salía sobre las olas del mar, la cual llegó a la arena y parió una bola parecida a un coágulo con ocho tentáculos, esto se transformó en un tambor y después en un águila, la que montó en su espalda al awó y lo condujo al cielo donde están los 16 tronos de Oduduwa, allí un anciano que brillaba como plata le enseñó el arte de combinar los colores con el efecto sombra, y otro anciano vestido de negro le dio el secreto del comercio.

Él fue a la plaza y compró pinceles, pintura y lienzo. Llegó a ser tan famoso que Ikú fue a ver sus cuadros enamorándose de uno de ellos. Ofreció alta suma pero no estaba en venta pues era la venerada imagen que él había visto en el mar.

Ikú le dijo:

—Regreso dentro de ocho días por el cuadro o por tu cabeza.

Cuando Ikú regresó ya le tenía dos addimú preparadas y la invitó a comer para hablar sobre el negocio, Ikú se llenó tanto que al final no lo pudo comer.

REFRANES DE ÌRÒSÙN ÒYÈKÚ

1- Se nace por un hueco, respiramos y comemos por un hueco, y al fin nos vamos hacia un hueco.

2- Al que lo pique el escorpión que busque pala y azadón.

3- El adivino debe morirse, el médico es mortal y el mago no debe vivir para siempre.

4- De la tierra nos nutrimos y al final ella se nutre de nosotros.

5- Lo único que hace rencarnar es morir.

6- Todo el que defiende su causa parece justo, hasta que el juez examina.

7- La suerte pone fin a toda contienda.

8- Al hermano ofendido es más fácil ganar como aliado que al detractor.

9- El que halla buena esposa encuentra felicidad, el que no encuentra pena.

10- El pobre suplica al hablar, mientras el rico exige.

IROSO WORI

Hablan: Orúnmila, Yewa, Shangó

El mal agradecido

Había un campesino que hacía muchos años había enviudado y cansado de los sinsabores que sus amigos le daban fue a vivir al monte. Construyó una choza y sembró una palma. Todos los días la regaba y cuando el sol era muy fuerte la cubría con su propia manta. La palma creció y todos los días cuando salía la luna ella le hablaba mal a esta del campesino. La palma empezó a echar espinas y en ocasiones el campesino se hería con estas sin querer. Un día el campesino enfermó y necesitaba un racimo de palmiche para orugbo. Fue a la palma y esta alzaba su frente al cielo haciendo caso omiso al campesino. Regresó el campesino a ilé Orunla.

Este le aseguró que hasta los puercos comerían palmiche. A los siete días Shangó de un rayo rajó la palma y todo el palmiche cayó al suelo, así se pudo salvar el campesino y saciaron el hambre los puercos.

El herrero y el ñame

Había un herrero que estaba pasando trabajo y hambre pues nadie venía a su establecimiento, su mujer murió desnutrida y él perdía la razón por momentos. Todas las tardes se posaban en su herrería un grupo de pájaros negros y con los sonidos que emitían lo trastornaban aún más. El herrero enfermó y fue a casa de Orunla y se lamentaba de todo lo malo que había atravesado en su vida. Orunla le marcó ebbó y este se puso muy triste pues no tenía con qué pagarle. Orunla le dijo:

—No te aflijas que muy pronto tendrás con qué pagarme.

Al día siguiente cuando el herrero fue a encender la fragua encontró dentro de las cenizas un pedazo de ñame: menos mal que conseguí la comida del día, pero cual no sería su sorpresa, al partir el ñame encontró un diamante en su interior, por lo que pudo pagar el ebbó y a sus acreedores.

REFRANES DE ÌRÒSÙN ÌWÒRÌ

1- No coja lo que no es suyo.

2- Mirar para arriba nos paraliza, mirar adelante nos moviliza.

3- El que roba no disfruta su maldad.

4- Por mucho que adquiramos en la vida, en el viaje final no llevaremos ningún equipaje.

5- El rico por descuido puede llegar a ser pobre, y el pobre por esfuerzo, puede llegar a ser rico.

6- La prosperidad añade tanto amigos como enemigos.

7- Quien adquiere cordura se ama a sí mismo.

8- La pereza causa sueño a la mente y hambre al estómago.

9- Quien corrige a su hijo a tiempo asegura una vejez apacible.

10- La disciplina hace que un hombre duerma satisfecho de no ser tocado por el mal.

IROSO DI

Hablan: Orúnmila, Obatalá

La mentira piadosa

Había un rey que tenía dos awó como consejeros de su reino, un día en que iban a ejecutar a un prisionero de guerra en plena multitud, el extranjero convicto prorrumpió en su lenguaje insultos hacia el rey, que fueron inútiles pues nadie entendía lo que hablaba. Preguntó el rey a uno de los adivinos. ¿Qué dice tan fogosamente el prisionero? Majestad dice que el dios de su pueblo ama a los que saben dominar su cólera, a los que perdonan a los hombres, a los caritativos y misericordiosos. Conmovido el rey perdonó al infeliz. Mas el otro adivinó dijo: Eso no es cierto y tradujo literalmente las ofensas e insultos. Hizo el rey una mueca y dijo: la mentira que él ha dicho es mucho más agradable que tu verdad, pues no solo salvaría una vida sino me evitaría un bochorno y disgusto público y después de tildarlo de tonto lo echó a la calle.

La boa y el contrahecho

Orúnmila era adivino de un rey que tenía un hijo tullido que se encaprichó en salir con Orúnmila a la foresta de cacería y este después de orugbo partió al bosque, donde fueron atacados por la boa, la cual tenía la misión de quemar el mundo. Orúnmila tomó una piedra y se la lanzó con la fuerza de un héroe y aunque no le dio, la piedra arrojada dio en una roca brotando un chispazo que llamó la atención a Orúnmila por lo que se dirigió hacia el lugar donde volvió a golpear, brotó agua que mojó al contrahecho joven, sus huesos y músculos se arreglaron como por arte de magia. Orúnmila llevó dos cántaros al pueblo con los que curaba a todos y el rey en pago le retribuyó con riquezas.

REFRANES DE ÌRÒSÙN DÍN

1- La mano esta corta y no llega abajo para coger los peces.

2- En el reino del amor unos aman y otros son amados, la felicidad es poder ser las dos cosas.

3- Ama a quien te ama y no a quien te guste.

4- La babosa para el ebbó no debe ser tirada a los dioses lejos.

5- El amor ciego se pierde cuando se abran los ojos.

6- Si ayer no vimos el presente, hoy no veremos el mañana.

7- Proponte metas que estén de acuerdo a tus habilidades y podrás brillar.

8- Quien asalta a su padre y echa fuera a su madre es hijo de la desgracia.

9- Los juicios son para los ofensores y los castigos para los desobedientes.

10- El hombre sabio nunca se embriaga de vino, pero sí de conocimientos.

IROSO JUANI

Hablan: Eshu, Shangó, Oshún, Obatalá, Orunla, Oggún, Oshosi, Osun

El rayo de luna

Era un pobre hombre que había envejecido sin tener familia, todas las noches iba a las apacibles aguas del lago a suplicarle al reflejo de la luna le diera un hijo que nunca se fuera de su lado. El anciano fue a casa de Orúnmila y sacrificó. Al poco tiempo bajó del rayo una hermosa niña la cual fue su suerte, pronto creció y todos los príncipes la pretendían. No sabiendo el padre qué hacer pidió a uno una piedra de mil colores, a otro el cuerno de plata de un unicornio y al otro la rama de oro del árbol de la vida.

Uno de los príncipes robó oro de palacio y contrató al mejor artesano fundiendo el oro. Al cabo de algún tiempo regresó el embustero príncipe con la historia de haber navegado siete mares para encontrar dicha rama. El anciano al saber que perdía a su hija regresó a casa de Orúnmila volviendo a sacrificar. Ocurriendo que los artesanos al no haber cobrado aún su trabajo revelaron la falsa. La joven cuidó al anciano hasta que murió.

Ella llena de dolor fue al lago y se deslizaba en su barca queriendo atrapar la luna reflejada en el lago, tanto se inclinó para ello que cayó al agua, la luna la reclamó y ascendió por un rayo morando allí eternamente su espíritu.

El árbol de la perdición

Orúnmila adivinó para el rey advirtiéndole que sacrificara para no perder su corona. En el día del festival de las flores le fue enviado un espíritu inmundo que bajo el efecto del alcohol cometió tantas orgías que se convirtió en una planta que poco a poco iba marchitando, así que lo sembraron en un jardín. Al cabo de algún tiempo le brotaron miles de semillas aparentemente secas, las cuales las aves regaron por todo el mundo, así creció la desconocida planta.

Ocurrió que en aquella tierra antes de coronar a un nuevo rey cremaban el cadáver del antiguo rey en presencia de todos, por lo que cremaron a la planta y la gente que inhaló aquel humo comenzó a hacer las mismas orgías que el difunto. Orúnmila sabiendo las fatales consecuencias de este vicio se fue de esa tierra que se degeneró tanto que fue tomada por sus enemigos.

La serpiente de fuego

Había una poderosa tierra donde se celebraba el fruto de sus cosechas con fiestas y todo era paz y armonía, esto despertó la envidia de los hechiceros que enviaron una serpiente que echaba fuego por la boca convirtiendo la tierra fértil en arena y los campos en desiertos. Muchos intentaron destruir a la serpiente, pero esta se ocultaba bajo la arena.

El rey fue a ver a Orúnmila dándole por misión atrapar al monstruoso animal. Orúnmila sacrificó, tomó el caparazón de la tortuga, el cuerno de antílope, montó a caballo y partió al encuentro con el animal. Orúnmila se extravió en el desierto y cuando pensó que moriría de sed y hambre ve pasar a un carnero sano y de alegre aspecto al cual siguió llegando a una abundante fuente. Orúnmila se alimentó de pescado y bebió agua, después se durmió y el terrible animal salió de la arena, pero el caballo se le enfrentó a dentelladas, Orúnmila se enfrentó con el caparazón y clavó el cuerno en la cabeza del animal, la sangre cubrió la tierra que volvió a ser fértil y próspera.

REFRANES DE ÌRÒSÙN ELÉRÍN

1- Amigos de hoy y enemigos de mañana.

2- Un pie en la casa y otro en la cárcel.

3- La codicia poco logra.

4- El que con tesón siembra tiene segura su cosecha.

5- Más rápido cogen a un tramposo que a un cojo.

6- Todo hombre es amigo del que da, y enemigo del que quita.

7- Quien provoca ira peca contra su propia alma.

8- Para gigante no hay aguas profundas.

9- El que adultera la balanza, adultera su equilibrio.

10- Solo por los hechos demuestras tu identidad.

IROSO GAN

Hablan: Orúnmila, Ibbeyis, Egungún

La arrogancia y la sabiduría

Hubo un awó que poseía algunos conocimientos de Ifá y se llenó de una vanidad insoportable, enterado donde vivía Orúnmila fue a visitarlo, con su aire de superioridad se hizo antipático enseguida. Orúnmila lo dejó hablar cuanto quiso haciendo gala de su conocimiento sin despegar los labios para nada.

Aquel awó que pretendía discutir de igual a igual se levantó enojado y comenzó a ofender a Orúnmila el cual permanecía sin dar un solo gesto facial, cuando el awó se disponía a partir fue cuando Orúnmila le hizo dos preguntas.

—¿Si alguien regala algo y este no es aceptado de quién es el regalo?

El awó respondió:

—Del dueño.

Orúnmila le dijo:

—Tus ofensas son el regalo que nunca acepté.

Y Orúnmila le preguntó:

—¿Cabe más agua en una copa rebozada?

Y él respondió:

—No.

A lo que Orúnmila dijo:

—No cabe la sabiduría en un corazón rebosado de orgullo —y así lo despidió gentilmente.

Un regalo del cielo

Hubo un rey que soñó que su nieto le arrebataba la corona. Él hizo adivinación y le fue dicho que el crío de una forma o de otra llegaría a ser rey y que lo tuviera siempre de su parte. Su hija enterada fue a casa de Orúnmila y sacrificó.

Tan pronto su hija parió el rey manda a un soldado con la secreta misión de matar al niño en el bosque, pero el soldado no pudo clavar su espada en el pecho del crío y lo dio a unos pastores diciendo que el rey ordenaba que ellos lo mataran. A los meses regresó el soldado a exhumar el cadáver y ellos lo llevaron al lecho del único hijo que ellos habían tenido y perdido.

El joven muy pronto creció y fue a servir en las tropas del rey donde por su valor llega a ser general, librando múltiples batallas para su rey por lo que este quiere conocerlo y al hablar con él descubre entre sus facciones y ademanes las propias suyas y tomó al nieto como un regalo del cielo.

REFRANES DE ÌRÒSÙN ÒBÀRÀ

1- El dinero saca tragedia por robo.

2- El rey pierde la corona.

3- Una vida de dar y recibir le da a uno un lugar agradable en el mundo para vivir.

4- Cualquiera que no abandone y guarde los insultos de otros continuará sufriendo.

5- El gato camina por la cerca y el hombre por la tierra.

6- Las mentiras son como agua en tinaja rota.

7- Quien ama el sueño ama la pobreza, quien trabaja no carece de pan.

8- Quien halla defecto en una mercancía es que quiere comprarla.

9- El que se asocia al chismoso deja de tener secretos.

10- El hombre que escudriña su ser se ilumina con la lámpara del espíritu.

IROSO KANA

Hablan: Obatalá, Orúnmila

La palma y Shangó

La palma era la más alta y vistosa de todos los árboles por lo que muchos la envidiaban.

En aquel tiempo ope la palma tenía el tronco suave, sus arayeses fueron a buscar a Oggún para que con su machete la cortara.

Shangó era pequeño de estatura y todos los oshas lo despreciaban, así que partió rumbo a ilé Orunla, por el camino se encontró con ope la palma y los dos fueron juntos a ver a Orunla. Hicieron adivinación y sacrificio, donde la palma endureció su tronco de modo que ningún machete podía entrarle.

Pasó el tiempo y Olofin dio un banquete e invitó a todos los oshas, quienes se sentaron a su mesa, Olofin vio como todos empezaron a comer sin esperar a Shangó y les preguntó: ¿Por qué no esperan a Shangó para comer? Y ellos dijeron es pequeño e insignificante. Olofin enojado dio un puñetazo sobre la mesa y dijo: Ese es mi único hijo en la tierra y juro que nunca comeré si antes no come mi omo. En eso llegó Shangó y lo llevó a su trono coronándolo rey del culto a los oshas.

La estafa y la mentira

Hubo un tiempo en que los babalawó no querían estudiar el oráculo y le decían a la gente lo primero que se les ocurría por lo que no resolvían. Eshu enterado fue a ver a Orunla y le contó.

Eshu se transformó en ayapa y fue a registrarse con un babalawó comprobando que este engañaba a la gente, Shangó que estaba en el techo con el poder del rayo le quemó las manos al babalawó.

Eshu se transformó en aya y fue a casa de otro babalawó y ocurrió lo mismo.

Eshu se transformó en ekún y fue a casa del último awó del pueblo al cual también Shangó le quemó las manos por mentiroso.

Los tres fueron a casa de su padrino Orunla y le pidieron que les rogara las manos pues se habían quemado sin querer.

Orunla les dio a interpretar un acertijo para ver cuan hábiles eran sus mentes, que decía así: Había un perro que despreciaba a la tortuga y la pisoteaba cada vez que la encontraba a su paso. Un día el perro fue al monte y se topó con el tigre el cual quería destrozarlo, en eso apareció la tortuga y le dijo al tigre: Eres un abusador, y lo desafió a luchar. El tigre de un bocado la tragó y ella desde adentro destrozó sus tripas hasta que lo mató y pudo salir.

Ninguno de los tres sabía qué decir. Orunla después de servir sus leri que estaban ofo les explicó que tanto vale el chico como el grande pues todos fueron creados por Oloddumare y los regresó camino del estudio y el servicio a Ifá.

El ruiseñor demonio

Orúnmila fue invitado a un concilio en tierras lejanas donde asistirían sacerdotes de varias religiones del mundo. Él sacrificó y dejó su ebbó bajo un árbol cubierto de algodón. Todos los sacerdotes idearon ir de paseo al bosque y comenzó el debate y nadie mostró interés por la doctrina de Ifá, tachándola de primitiva y salvaje.

Orúnmila cubrió sus oídos con algodón y comenzó a rezar bajo el árbol donde pondría su ebbó.

Ikú llegó en forma de ruiseñor al sitio y se puso a trinar sus más suaves melodías, y todo el que escuchó quedó hechizado.

El ruiseñor tomó forma de demonio y dijo: Todo el que escuchó mi trino se irá conmigo.

REFRANES DE ÌRÒSÙN ÒKÀNRÀN

1- Engaña a quien no sabe y no al que sabe.

2- Palabra dada, palabra empeñada.

3- Quien es amigo del perro de la casa, este sale y no descubre.

4- Lo que se figura es cierto pero no lo divulgue.

5- Tanto quiere el diablo a sus hijos que les saca los ojos.

6- El capricho produce pérdidas.

7- Lo que se pierde si se busca bien, se encuentra.

8- Lealtad y verdad aseguran la cabeza bajo el trono.

9- La gloria del joven esta en sus fuerzas, la del anciano en sus canas.

10- Los azotes hieren al cuerpo y engrandecen el alma.

IROSO TONDA

Hablan: Obatalá, Oggún, Shangó, Orúnmila

El león y el esclavo

Hubo un awó que se puso a trabajar Ifá sin la instrucción necesaria y la gente después de hacer los sacrificios perdía empleos, matrimonios y salud. Fueron a ver al rey y este lo llevó a las canteras como esclavo. Huyó y se escondía en una cueva donde comenzó a estudiar, vivía de los frutos y permanecía en paz. Un día entró un león por la única entrada de la cueva con una pata herida la cual presentó mansamente al esclavo, este sacó de ella una gruesa espina y así se hicieron amigos. Al poco tiempo el esclavo fue atrapado y el león por su parte corrió la misma suerte. Ambos fueron enfrentados en la arena y el león lamía mansamente la mano y meneaba la cola al esclavo, el rey al ver aquello se impresionó tanto que dio la libertad al esclavo.

La mujer labradora

Había un pueblo donde solo las mujeres trabajaban y vivían en total pobreza, el rey viendo que se acercaba una rebelión organizó un festival para premiar los maravillosos trabajos, creó una especie de danza ambulante con mucha comida y bebida para todos. Prometió al pueblo que les daría tanta tierra como una mujer pudiera arar con cuatro bueyes en 24 horas. Las mujeres sacrificaron y escogieron entre ellas la más capacitada. Al otro día comenzó el certamen y esta con su arado cubrió la mitad del reino llegando hasta el mar. El rey al ver el prodigio realizado declaró que toda su raza sería decretada divinidad y ella reconoció el poder de Orúnmila donde el rey se interesó por la doctrina de Ifá llegando a ser un rey justo.

REFRANES DE ÌRÒSÙN TÓNDÁ

1- El mal búsquelo en su casa.

2- El que empuja no se da golpes.

3- Un solo palo no hace monte.

4- Un perro depende de los buenos dientes de su boca.

5- Un carnero depende de sus buenos cuernos.

6- A veces el alcohol quema más que el fuego.

7- Se nace por los genitales y por los genitales se muere.

8- Es más sabio el que anda recto que el que sacrifica.

9- Ojos altivos, corazón arrogante.

10- Para procesar no hay mayor obstáculo que apresurarse a actuar.

IROSO SA

Hablan: Olofin, Irunmole, Oshún, Orúnmila, Shangó, Obatalá, Oyá, Osun

La envidia de Osun a Shangó

Shangó era pequeño pero muy valiente por lo que se inscribió en el ejército del rey donde Osun era capitán. Shangó por el poder de aina entraba y salía dando candela cumpliendo las misiones más heroicas, cosa que daba envidia a Osun, este mandaba a Shangó a las misiones más difíciles y riesgosas para deshacerse de él, pero Shangó cada vez se llenaba más de gloria. Osun empezó a decir que las tropas de Shangó planeaban algo nefasto contra el rey, Shangó fue a casa de Orula e hizo ebbó donde creció y se puso de la estatura de Osun, los dos fueron citados ante el rey y este dijo que decapitaran al más pequeño pero ocurrió que los dos median igual. El rey desconcertado lo dejó viviendo, pues no sabía qué hacer. Osun comenzó a vivir con una de las doncellas de la corte y la preñó y le echaba la culpa a Shangó, el rey puso trampas en la puerta de la doncella, los primeros días no pasaba nada pero Osun necesitando del sexo cayó en la trampa y lo condenaron a vivir enterrado hasta la cintura a la entrada de palacio para custodiar, donde pagaría con su vida cualquier error.

Los enanos y los gigantes

En una misma tierra vivían los enanos y los gigantes, estos entraron en guerra y los enanos fueran esclavizados. Orúnmila les hizo adivinación y les dijo que ellos tenían el poder de convertirse en rocas y que entre ellos había quien tenía el don de matar a besos a su oponente. Ellos sacrificaron y subieron a lo alto de la loma donde hicieron el conjuro secreto que Orúnmila les enseñó, se convirtieron en enormes rocas las que bajaron a tamaña velocidad aniquilando el reino de los gigantes.

Solo siete gigantes sobrevivieron y juraron vengar a su raza, ellos partieron al monte topándose en el río a una joven hermosa y desnuda quien no era más que una transformación de la enana de los besos mortales, ellos la fueron a violar y cada vez que la besaban ella con su lengua les sacaba el corazón y se lo tragaba y así ganaron la guerra a los gigantes.

REFRANES DE ÌRÒSÙN ÒSÁ

1- Viene un rey que le puede quitar su corona.

2- No matar, no pecar.

3- Al que vigilan, por bueno no es.

4- Lo que bien se escribe, no se borra.

5- Nadie tiene un paso estable con los ojos cerrados.

6- No hay mal que por bien no venga.

7- Eludir la contienda es honra, enredarse en ella es penoso.

8- La lengua ligera coloca la soga al cuello más fuerte.

9- Quien se enriquece con la mentira encuentra la muerte antes de tiempo.

10- Es preferible vivir en soledad que en rencilla.

IROSO KA

Hablan: Eshu, Oshún, Oggún, Orúnmila

La oveja y el león

Había una vieja leona que llevaba en su seno a un leoncito, a medida que este crecía ella se volvía más lenta, por lo que apenas podía cazar. Un día se quedó dormida bajo un árbol cerca de un rebaño de ovejas. Cuando despertó y las vio se lanzó y pudo atrapar un corderito.

Pero no se dio cuenta que al saltar se le salió el leoncito.

La carnera adoptó al leoncito como hijo suyo y este se crió como tal, por lo que así se comportaba haciéndose adulto.

Un día un león atacó la manada y él salió corriendo como una oveja más, pero la bestia lo alcanzó cerca del arroyo y lo llevó al agua a que se mirara, pero él del miedo no quería abrir los ojos y al hacerlo se dio cuenta que era un león, partieron juntos a la manada de leones donde saqueaba y comportándose como tal llegó a ser rey.

El pájaro verde

La hija del rey dijo que se casaría con el que encontrara el pájaro verde. Un pobre hombre vestido de harapos fue a casa de Orúnmila y sacrificó. Todos los hombres pusieron trampas para atrapar al pájaro verde. El harapiento partió por una vereda y al ver a un hombre bien vestido, se agachó y tapó el ebbó con su sombrero. Cuando el hombre le preguntó qué hacía dijo:

—Estoy cuidando al pájaro verde que lo tengo atrapado en este sombrero.

Entonces el hombre dijo:

—El que engañe al otro, se queda con el pájaro verde que tú tienes escondido.

El harapiento dijo:

—Para entrar en ese negocio, yo no tengo la engañadera aquí, se me quedó en casa y para ir a buscarla, tienes que darme el caballo, la ropa y todo lo que tienes encima.

Trato hecho dijo el hombre. El harapiento regresó y encontró al pájaro en una trampa, lo tomó y se dirigió a palacio donde fue aceptado como príncipe.

REFRANES DE ÌRÒSÙN ÌKÁ

1- Mientras más mira, menos ve.

2- El esfuerzo conquista montañas.

3- El que no se cuida no conoce a sus nietos.

4- El río nos trae riqueza y vida.

5- A veces el castigo convierte al necio en sabio.

6- Al mal agradecido no le favorece ni sus propios ojos, mas el honesto se conoce por su mirada.

7- Una dádiva en secreto aplaca la ira de cualquier hombre necesitado.

8- Quien cumple las leyes no teme de la justicia.

9- El hombre que se aparta de la realidad de la vida, encuentra la falsedad de la muerte.

10- El hombre leal no le faltará honor, al traidor no le faltará angustia.

IROSO TRUPÓN

Hablan: Eshu, Eleddá, Iroko, Oyá, Oddudua

La garza y el zorro

La garza después de mucho andar torcida fue a casa de Orúnmila a adivinar, pues quería corregir su vida, mas no sacrificó por esposo piadoso y se puso a decir que solo se casaría con quien la invitara a comer algo sabroso que ella no pudiera almorzar. El astuto zorro que escuchaba un exquisito caldo se puso a cocinar con tan buen olor que a todos cautivó. La garza frente a todos fue invitada y por más que picoteaba el plato no conseguía del caldo comer, entonces no tuvo otra salida que rendirse ante el astuto zorro.

El venado y el perro

Orúnmila adivinó para el venado y este no sacrificó. Después de algún tiempo llegó un perro jíbaro al monte y tenía a los venados al mal traer. Un venadito dijo a su padre: ¿cómo es posible que un perro nos haga correr cobardemente siendo más chico? No lo sé, respondió el padre, mas todos los nuestros siempre escaparon de los perros y yo no seré el primero a enfrentarlo. Mas el venadillo de solo dos tarros fue arrogante, desafió al perro y sus tripas muy pronto vieron al aire.

REFRANES DE ÌRÒSÙN ÒTÚRÚPÓN

1- Cuando la caldera esta rota se le sale el agua y la candela se apaga.

2- La mujer vanidosa es como un narigón de oro en la nariz de buey.

3- El que siente el calor y no ve el fuego se quema.

4- El que se empeña en hacer realidad un sueño imposible fracasa.

5- El que se quiere hacer notar pierde el tiempo con el ciego.

6- Tanto el rico como el pobre dependen de Olorun para vivir.

7- El que empeña al garrote, a garrotazos muere.

8- Espinos y lazos hay en el camino de quien se rebela contra su destino.

9- Quien siembra vanidad recoge menosprecio.

10- Quien comparte su pan con el pobre nunca carecerá de pan.

IROSO TURA

Hablan: Eshu, Orúnmila, Oggún, Oshún, Olofin

La falsa servidumbre

Orunla siendo hombre mayor tenía una persona de confianza que le cuidaba sus pertenencias cuando salía de peregrinación; él notó la diferencia que esta persona hacía entre los ricos y los pobres así que la puso a prueba: fue a ver a Ode quien se dedica a hacer justicia y dejó escrito un testamento disponiendo 3000 caracoles a la persona para su itutu si algo malo le ocurriera y si regresaba que le diera lo que quisiera.

A los seis meses regresó y pidió sus 3000 caracoles donde el personaje le devolvió 100 caracoles. Orula fue a ver a Ode y este al ver la mala intención del personaje puso sobre la mesa dos grupos de caracoles, uno de 100 y otro de 2900. Ode preguntó ¿no dice el pacto que se ha de entregar lo que quiera? Como usted quiere los 2900 eso es lo que debo entregar. De ese modo supo Orúnmila que la fidelidad de algunos tiene su precio.

El milagro de Eshu

Había un hombre en pésimas condiciones económicas, fue a casa de Orúnmila y sacrificó. Al poco tiempo se enteró que el Diablo ofrecería la mano de su hija en matrimonio al que pasara dos desagradables pruebas. La primera prueba consistía en llenar un barril de agua con un dedal en tres horas. Y la segunda, rescatar el anillo de su abuela hundida en el fondo del mar por un naufragio. Él regresó a casa de Orúnmila y volvió a sacrificar de modo que Eshu logró hacer los milagros para que él fuera feliz.

REFRANES DE ÌRÒSÙN ÒTURA

1- El que no edifica con la palabra, edifica con sus manos.

2- No coma pan del egoísta, para no abochornarce de haberlo comido.

3- Lo que se logra por la fuerza, por fuerza se destruye.

4- Cuentas oscuras, ponen fin a amistades claras.

5- Quien trama contra la heredad del huérfano es condenado por Olorun.

6- El borracho y el glotón visten con harapos, el diestro de manos viste, calza y come.

7- Nadie compra verdad para después venderla, todo el que se instruye tiene derecho a ser sabio.

8- Quien engendra un sabio se regocija, quien pare un justo se enorgullece.

9- Quien ostenta delante de un rey hace el ridículo, quien pretenda su trono cava su sepultura.

10- Solo el justo es capaz de bendecir, solo el envidioso es capaz de difamar.

IROSO ATÉ

Hablan: Orúnmila, Olokun, Obatalá, Oshún

Los ocho hijos de Orúnmila

Orúnmila le vio este Ifá al rey que quería tener descendencia y le pidió sacrificio pero él no lo hacía. Pasó el tiempo y se casó con una ninfa, que parió ocho hijas mellizas de belleza sin igual. El viento que las vio se enamoró de ellas y les prometió el don de la inmortalidad, pero ellas lo rechazaron, el viento enojado las dobló dejándolas gibosas.

El rey desesperado regresó a casa de Orúnmila y sacrificó un chivo grande, un gallo, dos palomas y un gigantesco arco de acero y este le dijo que casara a sus hijas con los primeros ocho jóvenes que pudieran disparar el arco.

Ni los más fornidos guerreros pudieron disparar el arco, solo los ocho hijos de Orunla pudieron hacerlo y de ese modo recuperaron la salud las hijas del rey. El día de las bodas llovió pétalos y granos de arroz que germinaron en el valle donde nunca más escaseó la felicidad y los alimentos.

Las fieras y el falso rey

Orula siendo ya muy mayor decidió ceder su reinado a uno de sus ahijados. Iroso Até era caritativo, justo y amigo de la verdad con todas las facultades para ser elegido. Pero ocurrió que la apetebí de Orúnmila celosa porque su omo no sería elegido pidió a Orúnmila un último deseo resultando ser que su hijo fuese el rey.

Iroso Até fue desterrado 16 años al bosque donde logró sobrevivir y comunicarse con la fieras, las cuales indignadas asediaban al nuevo rey día y noche, por lo que nadie podía salir de palacio y el rey tuvo que suplicar a Iroso Até que tomara el reinado.

REFRANES DE ÌRÒSÙN ATÉ

1- El hambre es mala consejera.

2- La inmortalidad es más antigua que el destino.

3- Todo el que menosprecia a otro, tarde o temprano necesita de él.

4- El que sabe cuidar siempre tiene.

5- Los consejos no sirven al sordo, los ejemplos sí.

6- Nadie atado por sus piernas puede caminar.

7- El perezoso dice que hay un león en la calle.

8- El hombre violento tiende lazo a su propia vida.

9- No te apresures a demandar no sea que tu demanda te avergüence.

10- Como nubes en días de lluvia es el hombre que se jacta de sus dones.

IROSO SHE

Hablan: Eleddá, Oloddumare, Orúnmila, Ikú, Eshu, Shangó

La gata y el cóndor

Orúnmila adivinó para el cóndor y este no sacrificó. La gata tenía por morada el hueco de un árbol a gran altura, donde "amiga" del cóndor decía ser. Muy pronto la gata se vio en dificultades al escasear el alimento. Altanera sube la gata al nido del cóndor y con fingidas lágrimas le dice:

—¡Ay mísera de mí!, una gigantesca anaconda es nuestra nueva vecina y amenaza con devorar a nuestros hijos.

Asustado el cóndor soportó junto a sus huevos tanto como el hambre se lo permitió, después alzó el vuelo, sirviendo los huevos de víveres a la gata.

La espada y la pluma

Orúnmila adivinó para la pluma y esta sacrificó para no ser avasallada. Al cabo de algún tiempo regresó la espada de la guerra engrandecida por la fama y topándose con la pluma de cobarde la acusaba. Mas la inteligente pluma le preguntó a la gloriosa espada:

—¿Quién trazó las estrategias? ¿Quién supo unir a los soldados? No sabes que tu acierto nace del genio en mí ilustrado.

Entendió la espada que sin pluma no hay victoria, pues detrás de una valiente espada, esta una pluma virtuosa.

REFRANES DE ÌRÒSÙN ÒSHÉ

1- Un solo hombre salva a un pueblo.

2- La muerte esta dando vueltas buscando a quién coger.

3- El cochino más ruin siempre arruina el lote.

4- Tiene que llover mucho para que el río salga de su cauce.

5- El que esconde un botín robado, carga la culpa del robo.

6- La suave lengua persuade al descontrolado iracundo.

7- El que come miel solo se harta y vomita.

8- Todos los días en casa de tu tía huele a porquería.

9- Como dientes falsos y pies que resbalan caerá el falso ante todos.

10- El sabio que hace un favor a su enemigo coloca brasas sobre la cabeza de este.

IROSO FUN

Hablan: Orúnmila, Oyá, Orisha Nla, Shangó, Osun

El trono bajo la arena

Era un rey extremadamente rico que fue por adivinación y se le predijo pérdidas por ambición. Pero el rey quería aumentar aún más su capital. Cierto día fue informado que había muerto un rey, el cual fue enterrado bajo la arena con un trono de oro macizo, en una especie de tumba secreta custodiada por un demonio.

El rey se dirigió hacia allá y trató de sobornar al demonio con oro y este respondió:

—Tengo mucho oro.

Ofreció piedras preciosas y ocurrió lo mismo. El rey dijo:

—Pide lo que quieras.

Y el demonio pidió tres cosas: una corona robada, la desnudez de su esposa y la fe de su alma.

Todo concedió el rey al demonio por sentarse en aquel lujoso trono, pero al lograr su objetivo el demonio lo ató con cadenas de oro al trono y lo mandó al infierno desde donde nunca pudo regresar.

El niño pez

Había un awó que rogaba a Olofin la llegada de un hijo. Tanto sacrificó que un día vio crecer el vientre de su amada esposa. Ocurrió que al día siguiente los awó fueron al lecho del niño y cuando lo miraron este se transformó en un pececillo. El awó fue apenado al mar y lo puso en el agua donde el pez le habla diciéndole si tú me salvas te salvaré a ti y a tu pueblo.

El awó lo regresó en el mismo vaso que lo había llevado y después cabó un hoyo en la tierra, lo llenó de agua y así creció seguro hasta que fue depositado en el mar desde donde le dio una fecha para que construyera una embarcación con todos los componentes de su raza incluyendo animales y plantas.

Pasó algún tiempo, no mucho, y llegó una inundación y el crecido pez remolcó el barco hasta la punta de una loma salvando sus vidas. Desde ese día todos en aquella tierra adoran a la tierra firme (Inlé) y a la tierra pantanosa (Abatá) para evitar las inundaciones y los brotes de epidemias producidos al bajar las aguas.

REFRANES DE ÌRÒSÙN ÒFÚN

1- Póngale cadena al perro para que la arrastre.

2- El enfermo y el sano se curaron.

3- El ratón se atrapa con ratonera.

4- Como agua fresca al sediento, así son las buenas noticias de tierra ajena.

5- El hombre que no domina su espíritu es como la ciudad amurallada.

6- No hay maldición sin causa.

7- Quien responde al necio con necedad también es necio.

8- Como la espina clavada en manos de un borracho, es la deshonra al padre del ladrón.

9- El hombre que se cree sabio es más necio que el ignorante.

10- La puerta gira sobre las bisagras, el vago sobre su cama.

OJUANI MEYI

Hablan: Eshu, Babalú Ayé, Orúnmila, Osain, Aroni, Agangara, Naná Burukú, Oshosi, Las Brujas

El comerciante necio

La esposa de un hombre muy pobre y con mínimas posibilidades para los negocios fue a casa de Orúnmila por adivinación y sacrificó. Ella estuvo varios días tejiendo un precioso traje. Al terminar lo entregó a su marido, pidiéndole fuera al pueblo a cambiarlo por lo que más le gustara. Él fue al mercado y decidió cambiarlo por un caballo. El dueño del animal aceptó, deseoso por saber quién había tejido tan delicada pieza, por lo que decidió seguirlo. Más adelante el hombre cambió el caballo por una chiva, a esta por un ganso, y este por un tira flechas con el cual trató infructuosamente de cazar un ave. Al rato el tira flechas se rompió y él regresaría a casa con las manos vacías.

El comerciante del pueblo le dijo:

—Si cuando llegues a tu casa tu esposa no te maldice por necio, te daré mi establecimiento; pero si lo hace, tendrás que entregarme a tu esposa.

Él aceptó la apuesta. Al llegar a su casa explicó a su esposa lo ocurrido y esta no peleó con él. Simplemente le sirvió el té y la comida. Así el necio obtuvo un comercio y fue rico.

Ayana la madre del mundo

La humanidad estaba sumida en la mente de Oloddumare y creó a los Ibbeyis, quienes aflijidos por la pobreza intentaron robar la calabaza de la ley y al romperse surgieron los mares sobre la faz de la tierra y los hombres comenzaron a alimentarse de sus peces. Pero el espíritu del fuego lanzó sobre su espalda un esputo; este se transformó en joroba, ellos fueron por adivinación y sacrificaron. De la joroba su hermano extrajo una tortuga con la que cohabitaron para procrear a los seres humanos. Estos al morir su madre utilizaron su caparazón como techo en sus casas para protegerse de los rayos de Olorun.

REFRANES DE BABÁ ÒWÒNRÍN MÉYÌ

1- Si Ayagguna no da la orden, la guerra no vendrá al mundo.

2- La estera ordinaria no se pone nunca sobre la buena.

3- La guerra no puede romper las rocas.

4- Los ojos ven que el fuego cocina, pero no lo ven comer.

5- El chivo que puede arrancar un pedazo de madera no puede arrancar uno de hierro.

6- El agradecimiento es la memoria del corazón.

7- La injusticia individual es amenaza colectiva.

8- Quien no siembre respeto, cosechará agravios.

9- En casa del herrero cuchillo de palo.

10- El jabón que baña a un cuerpo siempre se gasta.

11- Un médico puede ayudar a otros, pero no a sí mismo.

12- El mal que anhelas a otro lo verás en ti.

OJUANI SHOBI

Hablan: Eshu, Yalorde

El labrador y la culebra

Orúnmila adivinó para el labrador mas este no sacrificó. La bruja tomó forma de culebra que de frío se moría en el suelo. El labrador fue tan piadoso que incautamente la abrigó en su seno. Apenas revivió, cuando la desagradecida a su benefactor traiciona y mata.

El sabio y el charlatán

Orúnmila adivinó para un charlatán que amaba a una princesa, pero no sacrificó. Después de algún tiempo el rey creó un certamen donde ofrecía la mano de su hija al que fuera capaz de hacer hablar a un burro. El charlatán dijo que en una década lograría hacer hablar al burro. El rey aceptó poniendo como requisito que al término del tiempo lo mandaría a la horca. El charlatán al no poder aproximarse a la princesa se arrepintió y solo buscaba la oportunidad de fugarse. El sabio que también pretendía a la princesa fue a casa de Orúnmila y sacrificó. Al poco tiempo el rey harto de la charlatanería del joven mandó a cortarle la lengua. Pero se presentó el sabio ante el rey diciendo que en solo un instante lograría que el charlatán se callara si le daba a su hija en matrimonio. El rey aceptó y el sabio le dio de comer la lengua del burro; y cuentan que desde ese día el charlatán fue discreto, pues el sabio le salvó la vida.

REFRANES DE ÒWÒNRÍN SOGBÈ

1- Sacar el agua en canasta.

2- El que come huevo no piensa en el dolor que sufrió la gallina.

3- Lo malo sin maestro se aprende.

4- El que agradece lo hace con una palmada de hombros, el desagradecido con un puñetazo en la espalda.

5- Los amigos de Eshu no toman venganza.

6- El que se estanca por testarudo, no recibe el beneficio del cambio.

7- No se puede arar en el mar.

8- La avaricia rompe el saco.

9- El que no ejerce su oficio se priva de sus beneficios.

10- El que engaña a su hermano es el loco que lanza tizones sobre su cabeza.

OJUANI YEKÚ

Hablan: Eshu, Oshún, Oyá, Shangó, Orunla

El árbol y la víbora

A la orilla del santo río crecía un árbol alejado de espinos y malezas, ponía todo su amor en dar frutos justo a cada temporada, sus hojas jamás marchitaban, con sus sombras refrescaba al fatigado.

Orúnmila adivinó para el árbol vaticinando infortunio por exceso de confianza y recomendó untar en sus raíces aceite de la lámpara que ilumina el sagrado sepulcro.

Pasó por allí una víbora y le ofreció traerle de lejanas tierras el sagrado aceite.

Después de algún tiempo lo que trajo fue veneno. El árbol enfermó y con él todo el que comió de sus frutos. Los moradores fueron a casa de Orúnmila y este sacrificó la santa esencia en las raíces del árbol y todos se recuperaron.

La falsa promesa

Orunla siendo anciano vivía con una mujer joven; un día pasaron cerca del cementerio y vieron a una joven viuda que abanicaba la tumba de su difunto esposo, la escena conmovió tanto a la joven esposa que prometió a Orúnmila hacer los mismos honores el día que él partiera a la otra vida.

Orúnmila respondió:

—Es tan irracional lo que ella hace como lo que tú dices.

La joven indignada pidió que le demostrara. Ellos fueron hacia la tumba y le preguntaron a la viuda qué hacía y ella respondió:

—Es que el tontito de mi marido antes de morir me hizo prometer no volverme a casar antes que se secara la amontonada tierra de su sepultura.

La joven partió indignada asegurando que ella abanicaría la tumba para siempre. Orúnmila al otro día se hizo el muerto.

La joven después de los ritos construyó una tumba en el jardín y comenzó a abanicarlo.

Un joven aprendiz de Ifá quedó en la casa para cuidar los sagrados libros y era tan amable como apuesto por lo que ella no solo se enamoró de él sino que lo sedujo.

Un día en que el joven enfermó ella recordó una extraña receta leída en las notas del supuesto difunto que decía mezclar cerebro humano con vino de palma para fricciones. Cuando ella abrió la tumba y vio que Orúnmila se levantó quedó muerta del susto.

REFRANES DE ÒWÒNRÍN ÒYÈKÚ

1- El que da comida a un hambriento, da comida y alimento a su corazón.

2- Si el viento sopla, hace lanzar las hojas del plátano de derecha a izquierda.

3- Por la malacrianza de un niño, se puede perder a un grande.

4- Dijo Dios: yo envié las enfermedades al mundo, pero las curo también.

5- Cuando el viento sopla hace ondular el agua del gran río.

6- El rico y el pobre son hijos de la muerte.

7- Como arqueros que a todos hieren es la lengua del ignorante.

8- Las palabras del chismoso entretienen al ocioso pero contamina sus entrañas.

9- Cualquiera que cave un hoyo hondo que se cuide de no caer en él.

10- Pesada es la piedra sobre la arena, pero más pesada la conciencia del hombre cruel.

OJUANI TANSHELA

Hablan: Orúnmila, Oshún, Eshu, Olorun

Los dos pozos

Había una tierra donde existían dos pozos, uno de los hechiceros y el otro de los pobladores; pero llegó la sequía y solo el pozo de los hechiceros tenía agua, quienes con sus artes malévolas y para que nadie bebiera pusieron al cao de centinela.

Yemú obiní de Obatalá hizo ebbó y con la flecha consagrada por Orunla después de beber lavó sus paños menstruales.

El cao la vio y no le dijo nada. Al poco rato llegaron los brujos y el cao les contó todo, por lo que fueron a casa de Obatalá que diera a su esposa por muerta; en el monte estaban los hijos de Yemú y los brujos se los comieron. Ella se refugió en ilé Orunla y cuando estos llegaron este había hecho ebbó con ekrú-ru y recinas pegamentosas, los omologu que tenían hambre se las comieron y quedaron inmóviles y Orunla a garrotazos los mató.

La pereza

Había un joven al que todos llamaban pereza pues cuando su madre le pedía que la ayudara, él contestaba:

—Mamá, no me llame que tengo pereza.

Si los amigos lo buscaban para jugar, decía:

—No puedo, por que tengo pereza.

Muy pronto se hizo un hombre gordo. Su madre decidió llevarlo a casa de Orúnmila e intentó con una carreta de bueyes. Orúnmila sacrificó y ellos se fueron.

La fama de su gordura hizo que el pueblo comenzara a visitarlo para ver su monstruosidad. Llegó el momento en que se hacía cola para verlo. Un día que la madre estaba muy enferma y dejó de entrar alimentos a su casa, el gordo a rastras fue al campo a buscar trabajo y lo emplearon para arar el campo arrastrando él mismo el arado. Muy pronto logró vencer la pereza y tener el peso normal.

REFRANES DE ÒWÒNRÍN TÁ NSE ELÀ

1- Todo el mundo me tira a matar.

2- No se puede atar a un caballo con la loma de hierba.

3- Las raíces de Ifá son amargas, el fruto es dulce.

4- Oye a todos y de ninguno te fíes, ten a todos como amigos, pero cuídate de todos como enemigos.

5- Si no puedes cumplir una obligación, debes ser franco.

6- Yo sé hacer todo, el ebbó es grande por la voluntad de Oloddumare.

7- No es sabio seguir lo que no asegura triunfo.

8- Solo cuando los racimos están maduros se separan los cocos.

9- Las nueces duras se parten con piedras duras.

10- Nunca olvide su origen.

OJUANI NISHIDI

Hablan: Orúnmila, Oshún, Eshu, Osun, Obaluayé

La esclava de Eggún

Aquí Oshosi llegaba al mar y la fragancia de Yemayá lo enloquecía.

Pero había un eggún que la tenía zombi y solo en la poesía le hablaba. Yemayá quedó aboñú y parió un lindo niño, pero esto no frenó el interés de Oshosi que fue a casa de Orunla para quitarle el velo a Yemayá que comenzó a vivir oculta con Oshosi el cual se enamoró tanto que quería sacarla del mar y llevarla al monte con él, pero Eggún la tenía amenazada con matar al niño si lo abandonaba.

Oshosi hizo una gran canasta para atrapar a Yemayá, pero esta se volvía agua y no podía ser atrapada. Oshosi llevó a Orunla al mar y le dio akukó fun fun a Yemayá. Orunla le hizo paraldo y Eggún la liberó, pero aún así Yemayá seguía desconfiada, Oshosi la esposó y la llevó con él, hasta que ella se adaptó y pudo ser feliz.

El barco y la vela

Aquí el barco era muy pobre y solía cubrir distancias muy cortas por lo que fue a ilé Orunla e hizo ebbó. Un día conoció a la vela la cual era rica y aburrida de las comodidades que hizo correr fortuna junto al barco y recorrer el mundo. Pero el barco solo aspiraba a una vida mejor con tranquilidad y sosiego.

El barco y la vela se acoplaron viajando por muchos puertos, donde la vela deslucía al barco y nadie lo consideraba. El barco pensaba: "si no fuese por mi ayuda esta nunca hubiese salido de la aldea", y la vela pensaba: "si no fuese por mí este viejo barco no caminara ni una milla".

Poco a poco surgió la enemistad y la envidia entre ambos, se velaban uno al otro para destruirse.

Olokun pidió tributo al barco y este se lo prometía pero se tardaba en pagar.

Una noche en alta mar se desató una fuerte tormenta en donde un rayo quemó la vela y las enormes olas hundieron el barco.

Las cartas de Oshún

Oshún llegó a una tierra donde no sostenía empleo por lo que estaba muy pobre, allí había un hombre muy rico el cual tenía cuatro obiní y al ver la belleza de Oshún se enamoró de ella. Comenzó a ofrecerle de todo para conquistarla pero no lograba su objetivo, así que habló con los pudientes del pueblo para que nadie diera trabajo a Oshún y esta, que tenía dura la boca, fue y le dijo:

—Prefiero morir de hambre que vivir contigo.

Oshún aburrida fue a casa de Orunla y este le regaló un juego de barajas egipcias que Oshún por cortesía aceptó, pero se preguntaba: ¿para qué quiero estas cartas ahora?

Oshún llegó a su casa y justo en la puerta se le cayeron las cartas y al mirar notó que Eggún le predecía el destino.

Así aprendió y adivinaba en la plaza donde ganaba opolopo owo.

El hombre rico fue a mirarse y de esa forma humillarla. Oshún le adivinó diciéndole que fuera a casa de Orunla pues la justicia lo prendería, pero él comenzó a reír, justo cuando llegó Ashelu y lo prendió por negocios turbios.

REFRANES DE ÒWÒNRÍN SIDIN

1- El perfume es el espíritu de las flores.

2- Hay que hacer por quien hace por uno.

3- No ofrezcas lo que no puedes cumplir.

4- El hombre infiel pierde lo que posee.

5- Los enfermos al médico, los saludables a la fiesta.

6- El que odia disimula sus labios, pero engaña su propio corazón.

7- El que hace rodar una piedra sobre él mismo caerá.

8- Mejor es la represión franca que el amor encubierto.

9- El hombre saciado aborrece la miel, pero al hambriento todo le es dulce.

10- Pájaro lejos del nido es el hombre lejos de su hogar.

OJUANI HERMOSO

Hablan: Obatalá, Yewa, Shangó, Orúnmila, Elegguá

La porfía entre Orúnmila y el Diablo

Orúnmila era inseparable de sus dos hijos gemelos, quienes se adoraban entre sí. El Diablo le dijo a Orúnmila que él tenía poder para separar a los tres. Orúnmila confiado en su obra le concedió siete años de prueba al Diablo sobre sus hijos. El Diablo envió a su hija que tomó forma hermosa y logró casarse con uno de los gemelos y se juraron amor eterno.

Poco a poco logró que el joven que todo lo veía andara como un ciego y sordo que solo a ella escuchaba y él que a muchos guiaba se había extraviado. Un día la diablita le propuso incesto al hermano gemelo de su esposo y como este la rechazó, esperó a que llegara su marido para decirle que su hermano la había forzado.

Eshu que todo lo ve y oye se transformó en toro, y cuando un hermano pretendía matar al otro se metió entre ambos y explicó lo ocurrido, en eso llega la malvada mujer quitando el arma a su esposo para ella misma matar al supuesto ofensor y en un brusco giro que dio el toro se clavó el arma en su pecho muriendo al instante.

El regalo de una flor

Orúnmila llegó a una tierra donde el rey deseaba tener nietos, y a la princesa ningún joven le parecía correcto para tener hijos. Orúnmila sacrificó y la princesa salió preñada sin haber conocido hombre alguno. Cuando los médicos informaron al rey el estado de su hija, el rey quiso matarla, pero la princesa le dijo:

—No, padre, estoy así por encantamiento, yo no he estado con ningún hombre.

Al fin nació el niño con una flor en la mano. Y el rey dijo: que su hija se casaría con el que lograra que su nieto le regalara la flor. Los reyes de todas partes del mundo fueron a ver al niño, todos pedían la flor y este se las negaba. Después llamaron a todos los habitantes del pueblo uno por uno y el niño se la negaba. Solo faltaba Orúnmila por pasar. Y el crío le entregó la flor. Así logró casarse con la princesa y ser feliz.

REFRANES DE ÒWÒNRÍN AMÒSÙN

1- Si usted no se quiere, no puede querer a los demás.

2- Un babalawó lleno de poder es menos poderoso que un orisha.

3- No hay venganza mayor que la indiferencia.

4- Lo que se ensucia lavándolo se limpia.

5- La soberbia anula la razón.

6- Los bueyes sin yunta no alcanzan la meta.

7- La lengua ponzoñosa causa ruinas.

8- Más vale un buen vecino cerca que un buen hermano lejos.

9- El hierro con hierro se afila y con hierro se amella.

10- La humildad del hombre se prueba cuando alabanza recibe.

OJUANI OBARA

Hablan: Orunla, Obatalá, Eshu

El lenguaje de los árboles

Orunla vivía en lo alto de una loma y salía desde temprano a trabajar la religión, por lo que se hizo necesario contratar a alguien para que le cocinara. Por aquella zona había un joven inexperto el cual estaba pobre y su mujer le había dicho que no regresara a casa sin antes haber resuelto un empleo, este en cuanto se enteró de la noticia llegó corriendo a casa de Orunla y dijo ser cocinero.

Orunla concentrado en su deber prestó poco asunto al joven, solo le advirtió que pusiera a cocinar nada más que cuatro frijoles en la olla. Pero el joven se preguntó: ¿qué poco come Orunla?, si cocino solo cuatro frijoles ¿qué comeré yo?, por lo que puso muchos más.

Orunla tenía un secreto para hacer crecer los alimentos y de ese modo en su tierra no había hambre. Cuando Orunla llegó a su casa esta estaba llena de frijoles gigantescos, esto enloqueció al joven y salió gritando a cuatro voces lo que había ocurrido. Muy cerca de allí había una tierra de guerreros que era azotada por una intensa cabruna y al conocer la noticia invadieron la tierra, todos los oshas se armaron con sables, machetes y flechas, pero no podían con el enemigo, que los estaban masacrando, los oshas huyeron al monte cada cual por su rumbo incluyendo a Orunla que permaneció allí por espacio de 21 días y al verse desesperado imploró a Olofin que le respondió: no todo esta perdido, pues tienes un poderoso ejército a tu favor, y Orunla preguntó: ¿dónde esta ese ejército, pues estoy solo? Y Olofin respondió: cada uno de estos árboles son soldados a tu favor, y se retiró.

Orunla se quedó meditando las palabras de Olofin e hizo adivinación a los árboles uno por uno y estos a través del oráculo hablaban con él y se quejaban de los maltratos a que ellos eran sometidos por el hombre e hicieron un pacto.

La yagruma sería la centinela. El ácana desviaría los ojos enemigos.

El álamo aplacaría la ira. La caña de azúcar los endulzaría. El cedro se comprometió a impedir el paso enemigo. La ciguaraya trocaría el camino enemigo. La palma sería mensajera de los oshas y la ceiba mensajera de Olofin. Orunla hizo ceremonias al pie de estos árboles logrando vencer a todos los enemigos y restaurando la paz en aquella tierra.

El rey y el pez

Había un awó del cual todos se servían y su fama trascendía las fronteras de su tierra.

Un día se perdió de palacio un pez que según el rey hablaba.

El rey llamó a todos los babalawó de aquella tierra para que le adivinaran quién había robado el pez o les cortaría la cabeza.

Ellos al verse perdidos incriminaron al awó y este fue despojado de todos sus bienes y lo desterraron. Awó logue construyó con yaguas una choza a la orilla del río, junto a una mata de güira, la necesidad lo mataba pues nadie iba a consultarse con él. Una noche soñó que sus ancestros le orientaban ir a otra tierra a recibir un poder de Eggún para mejorar su destino, al despertar preguntó al oráculo y este respondió positivamente. Partió sin provisiones por lo que el hambre lo desvanecía, apareció Obatalá y después de limpiarlo con asho fun fun le ofreció akukó y osadie para que lo compartiera con Eshu, así lo hizo y Eshu lo llevó a ilé awó egungun, este lo inició en su secreto con ayapa y eyá, asegurándole un destino favorable.

Awó logue regresó a su choza y al llegar un gajo de güira cayó al agua, los peces huyeron pero uno muy bonito quedó atrapado, awó logue lo metió dentro de una igba y lo llevó al rey, resultando ser un pez con las mismas características, el rey en agradecimiento le puso casa grande y opolopo owo donde todos los awó y aleyos comenzaron a visitarlos.

El hijo bastardo

Había un awó que tenía tres hijos y al verse viejo, sin fuerzas ni coordinación, llamó a sus hijos y les dijo: dentro de ustedes hay un bastardo pero quiero que siempre estén unidos y nunca dividan el patrimonio, pero justo al morir el viejo todos querían su parte, en eso apareció un anciano que les preguntó si habían visto una eure y que se la describieran: uno dijo que era tuerta, otro que iba calando una gran jaba y el último dijo que tenía una herida en el lomo. El anciano los acusó de ladrones y los llevó a juicio donde los tres sostenían no haber visto la eure; el primero explicó: supe que era tuerta pues comía hierba de un solo lado. El segundo dijo: supe que estaba herida en el lomo pues había sangre solo en la rama donde se recostó y el último dijo: supe que estaba cargada pues sus huellas eran muy profundas para su tamaño y su peso.

El obbá los declaró inocentes y le dijo al anciano: deja que los jóvenes sigan las huellas de la eure, la cual carga en una jaba la herencia de estos jóvenes. Entonces ellos tenían curiosidad por saber quién era el bastardo. El rey los hospedó y ofreció arroz con carne, pero un criado oyó a uno de ellos criticar el arroz, al otro criticar la carne y al otro decir que el rey era un bastardo, el rey fue a ver a su madre y esta le confesó que él era hijo de un awó que había muerto. Al día siguiente el rey les dijo que no tenían de qué preocuparse, pues los tres eran hijos legítimos y que ya él conocía al bastardo, entonces por simpatía a sus hermanos les dio oro recomendándoles vivir unidos.

REFRANES DE ÒWÒNRÍN ÒBÀRÀ

1- Usted ha comprado soga para su pescuezo.

2- Cuando no tenemos nada para dar, nadie nos visita.

3- Las ratas abandonan el barco que se hunde.

4- El que bota lo que adquiere, desperdicia sus esfuerzos.

5- El que raya tiene sin ser tigre, que atienda su fundamento.

6- El usurero trabaja sin saberlo para el que se apiada del pobre.

7- El que ignora sus propias faltas no prospera, pero el que las supera florece.

8- Todo el que derrame sangre, fugitivo será hasta la muerte.

9- El que labra su tierra se sacia de pan, al perezoso le arde el estómago.

10- Al fiel no le faltan bendiciones y al traidor maldiciones.

OJUANI POKON

Hablan: Orúnmila, Eshu, Yansan

De la ira a la muerte

Orúnmila dijo al campesino que hiciera ebbó, pero quien sacrificó fue el rey.

El campesino desesperado por la tiranía horrenda de su rey se insultó tanto que partió a palacio con el fin de condenar el mal funcionamiento del reinado. Cuando el campesino llegó un escribano tomó nota de todo lo que este dijo durante nueve días sin decir una sola palabra. Pero como nadie le hacía aparente caso, el campesino dijo que iría al otro mundo a presentar su queja y frente a todos se suicida. Cuando el rey lee lo planteado ordena dar al campesino lo que con derecho reclama pues gracias a esto el rey pudo conocer que sus empleados saqueaban el tesoro real.

La roca y la plaza

Había una enorme roca la cual vivía en la cima de una loma, desde donde divisaba todo lo que ocurría en la plaza, la roca notaba que a la plaza le entraba mucho dinero y que todos la visitaban por lo que ideó una forma para robarle el iré, pero como no tenía pies se unió al palo y a las raíces para lograr su objetivo, la plaza que presentía peligro fue a casa de Orula e hizo ebbó donde las raíces fueron poco a poco penetrando las rocas y aislándola de la tierra, el palo la impulsó y esta salió rodando loma abajo, pero como las raíces habían penetrado la roca los golpes la fueron fragmentando y desgastando mientras rodaba, lo que llegó a la plaza fue polvo de roca el cual Oyá espació con el viento.

Lo que sucede conviene

Era un hombre que hizo ebbó y mandó a su hijo a llevarlo a su destino; en el pueblo había un circo con muchas fieras, el muchacho se entretuvo y allí mismo dejó el ebbó donde las fieras lo cogían para jugar. En aquel circo estaba el hijo del rey y las fieras lanzaron el ebbó fortísimo al público y como este tenía dentro una cabeza de chivo el ebbó dio justo en la cabeza del hijo del rey, hiriéndolo.

Enterado el rey de la noticia apresó al muchacho y prometió matarlo si su hijo moría. El padre asustado regresó a casa de Orula y repitió el mismo ebbó, pero esta vez lo llevó personalmente al pie de un árbol y el hijo del rey mejoró. El rey al ver los resultados positivos llevó a su omo al pie de Orula que lo curó. Así llegó a palacio y la riqueza a casa de Orula.

De pescador a Rey

Un pobre pescador fue a casa de Orúnmila por adivinación y sacrificó, ocurriendo que el Ifá de un sabio fue despedido al río. Después llegó el pescador que tenía una pésima situación y al sacar sus redes encontró las santas semillas, el día le pareció nefasto pues nada pudo pescar.

La curiosidad le hizo manipular las pulidas semillas y con sorpresa notó que ellas le hablaban y le orientaban cómo ir a otra parte del río donde abundaba la pesca, después que fuera a la plaza donde vendió todos sus pescados, con el dinero compró un lujoso traje, para conquistar a una viuda riquísima con la que tuvo 16 hijos y llegó a ser un próspero comerciante, más tarde consejero real y por último rey.

REFRANES DE ÒWÒNRÍN ÒKÀNRÀN

1- Nadie tiene más riesgo de caer que el que quiere tumbar a otro.

2- Fue por lana y salió trasquilado.

3- Un día de risa y otro de llanto curan al mundo de espantos.

4- El enfermo que se acuesta la muerte lo sorprende dormido.

5- Lo que mal comienza no llega a buen fin.

6- El que no agradece mal padece.

7- Fieles son las heridas del amigo pero engañosos los besos del enemigo.

8- El avaro corre tras la riqueza y la miseria corre tras él.

9- Fíate más del que te reprende que del que te elogia.

10- El arrogante origina rencillas, el modesto prospera.

OJUANI OGUNDÁ

Hablan: Orúnmila, Oyá

Las monas y el tigre

Orúnmila adivinó para las madres monas y estas no sacrificaron. Ocurrió que un viejo tigre no tenía modo de alimentarse. Él llegó al pie del árbol de las monas y simuló morir tan bien que parecía cierto. Hasta las viejas monas alegres empezaron a saltar: la más osada baja, mira, huele, tienta y grita muy contenta: ¡esta muerto llegad!, bajan todas con bulla, tocan su cara, saltan encima, mas luego que todas se fatigan levantose ligero, pilla, mata y devora a las confiadas monas.

El pastor y los lobos

Orúnmila adivinó para un pastor de ovejas y le recomendó sacrificar en pos de la honestidad para llegar al logro, pero él no sacrificó. Después de algún tiempo estaba el joven pastoreando su ganado y gritó desde la cima a los labradores: ¡desgracia los lobos!, los labradores corrieron cuesta arriba con sus herramientas, pero era broma. ¡Linda gracia!

Ocurrió que al poco rato llegaron los lobos de verdad y por más que gritaba nadie lo escuchó, comiendo los lobos su manada.

REFRANES DE ÒWÒNRÍN ÒGÚNDÁ

1- Uno tira la piedra y el pueblo carga la culpa.

2- Por una mujer se perdió el igbodun.

3- No vaya a casa de nadie para que no sepas lo de nadie.

4- Es una falta de respeto permitir al manigero entrar en un pueblo con taparrabo.

5- Si un niño abre una cazuela hirviendo, la vuelve a tapar por el calor.

6- Quien no mira hacia delante, atrás se queda.

7- El monstruo no le pega a odán en el aire libre.

8- Secreto entre dos deja de ser secreto.

9- La llama de la discordia no respeta la mano que la prendió.

10- El que da al pobre no tendrá necesidad, pero el egoísta será maldecido.

OJUANI OSÁ

Hablan: Orúnmila, Olofin, Eshu, Obatalá

Las hormigas sabias y las hormigas locas

Orula llegó a la tierra de las hormigas y les dijo que tenían que hacer ebbó para que pudieran percibir los fenómenos atmosférico antes que estos ocurrieran y de este modo poder salvarse, la colonia se sublevó y habían hermanas que creían lógico el ebbó, pero habían otras que no lo creían necesario, formándose gran rivalidad entre ellas, entonces se dividieron en dos bandos las que hicieron ebbó se dedicaron al trabajo y las otras se dedicaron al ogú y al sexo.

Pasó el tiempo y un día las hormigas trabajadoras cacharon una intranquilidad en la tierra bajo sus pies poco común y fueron a casa de Orula quien les recordó que cambios climáticos llegarían y que deberían de mudarse a lugares altos y seguros, apareció un torrencial aguacero con fuertes vientos, cosa que sorprendió al grupo de incrédulas que como locas corrían de un lugar a otro, pero muchas eran arrastradas por el torrencial. Desde ese día se conocen dos clases de hormigas las sabias y las locas.

El regreso del imprudente

Hubo un rey que ofendido con las imprudencias de su hijo, para no matarlo, mandó a construir un barco grande, puso comida para varios años y dispuso a bordo a su hijo con su nuera y nietos. Pero ellos lograron ir a casa de Orúnmila a sacrificar. El barco partió a merced del viento. Trascurrido algunos años comenzó a escasear la comida. Ellos que casi morían de hambre comenzaron a invocar y Eshu se transformó en un pececito llegando al sitio.

Eshu muy pronto repletó la mesa de comida. Ellos pidieron a Eshu regresar a su tierra, donde el veterano rey estaba viejo y enfermo. Cuando el rey los vio dijo: ya puedo morir en paz, y le entregó su corona al hijo que regresó reformado para ver a su padre morir en paz.

REFRANES DE ÒWÒNRÍN WÒSÁ

1- El disfrute de la dulce vida.

2- Para no pasar vergüenza, ser prudente, pacienzudo y sabio con las hormigas.

3- Acostarse y levantarse temprano hacen la salud y la energía del hombre.

4- Cuando el gallo canta el holgazán refunfuña.

5- El que cuida su apariencia se respeta a sí mismo.

7- Las olas son hijas del viento.

8- El hombre sobornable tiene su precio, el íntegro no.

9- El adulador tiene una red en sus manos.

10- Mientras el necio da rienda suelta a su ira, el sabio la reprime.

OJUANI BOKA

Hablan: Eshu, Shangó, Olofin

La estafa

Orúnmila adivinó Ifá para una anciana. Cierto día tres huéspedes confiaron su dinero a la anciana y desconfiados unos de otros pactaron que el dinero debía ser entregado en presencia de los tres. A dos de ellos la anciana le preparó el baño, pero olvidó ponerle el peine. Uno de ellos pidió el dinero a la anciana y ella preguntó a los que estaban dentro del baño: ¿puedo dárselo a su amigo? Y los de adentro pensando que se trataba del peine dijeron: vieja, déselo.

Llegó el día del juicio, la anciana fue declarada culpable y debía de pagar. Ella salió llorando y Eshu que la vio le dijo que si le daba un pollo y nueces él le daría un consejo que la salvaría. La anciana regresó a la corte y dijo al juez que el pacto había sido hecho entre los cuatro y que faltaba uno por declarar, el juez decretó a los demás que trajeran a su amigo y después la anciana le devolvería su dinero.

Así quedó libre la anciana de la estafa.

La mula de plata

Había un labrador que cansado de su labor fue a casa de Orúnmila y sacrificó. Al cabo de un tiempo cambió su caballo por una mula y en cuanto se enteró de la llegada de forasteros al pueblo, cogió cinco pesos machos y se los introdujo por el ano a la mula. Fue al pueblo y en presencia de los forasteros dio con la espuela a la mula y esta soltó un peso que rodó por el suelo.

Los forasteros preguntaron al labrador y él dijo: esta mula es de plata. Volvió a pincharla con la espuela y soltó otro, y otro. Los forasteros le ofrecieron mil pesos por la mula y él no aceptó, pero ellos duplicaron la suma y tomó su dinero y se internó en el monte donde nunca más lo encontraron.

REFRANES DE ÒWÒNRÍN ÌKÁ

1- Por la puerta lo mismo entra lo bueno que lo malo.

2- Si no escuchas los consejos de tus padres, los troncos del camino te darán.

3- El mal que le haces a otro, es mal para ti mismo.

4- Un tronco, nunca un árbol para luego dejarlo caer.

5- Nadie invierte sin antes medir su capital.

6- Si un niño no camina él no será sabio.

7- La uña de ningún hombre infecta la nuez de cola amarga.

8- Después de tantas mentiras ni la verdad te van a creer.

9- El que cree en un embustero es que es mentiroso.

10- El niño consentido tarde o temprano avergüenza a su padre.

Glosario

Abikú: Espíritu viajero que encarna en los niños que puede hacerlo morir u ocasionar la muerte de sus hermanos, incluso impedir su nacimiento.

Abolú: Progegido, resguardado.

Addimú: Ofrenda sencilla de comida al santo.

Afoché: Polvos mágicos para hacer el bien; contrario al ofoché que se utilizan para hacer el mal.

Ainá: Sinsonte.

Akukó fun fun: Gallo blanco.

Akukó: Gallo.

Alakasó: Aura tiñosa.

Apetebí: Sacerdotisa de Ifá. Es la ayudante del babalawo. Recibe esta categoría a través del Co Fá que la prepara para hacer sus funciones.

Aragba: La ceiba.

Ashé: Poder, gracia, bendición, virtud.

Asho fun fun: Algodón.

Awafakan: Cierta consagración en Ifá para los hombres.

Awó: Adivino. Sacerdote Ifá.

Ayá: Jicotea

Ayapa: Jicotea

Aye elekoto ni orun: Caracol blanco donde habitan los eshu.

Bogbo adimu: Ofrenda sencilla de todo.

Bogbo igui: Todos los palos.

Ebbó: Trabajo de santería.

Ekún: Leopardo, tigre.

Ellá: Pez.

Eran: Carne. Animal.

Etu: Guinea.

Eure: Chiva.

Ewe: Yerba.

Eyá: Pescado ahumado.

Eyé: Sangre.

Fifeto: Lavatorio del santo con omiero en la ceremonia del kariosha.

Gun gun: Aura tiñosa.

Igba de omi: Jícara de agua.

Ikine: Nuez de palma o de kola. Es el fundamento de Orula en la tierra.

Irofá: Vara de autoridad usada por los sacerdotes de Ifá en las ceremonias.

Iruke: Especie de plumeros o escobillas rituales confeccionados con crines de caballos o con pelo de sus colas.

Irúnmole: Divinidades concedidas por Oloddumare.

Itá: Ceremonia de arrojar los caracoles durante el nacimiento en osha.

Ituto: Ceremonia que se realiza al morir un santero.

Kutu: Tumba.

Lerí: La cabeza.

Oba: Rey.

Obé: Cuchillo.

Obiní: Mujer.

Obó: Órgano genital femenino.

Ofo: Perdida, desgracia.

Ofún: Polvo. Maldición.

Ogú: Brujería.

Oluwo: Babalao.

Omo: Hijo.

Opolopo owo: Mucho dinero.

Opón: Tablero de Ifá.

Oponfá: Tablero redondo de madera del sistema adivinatorio de Ifá.

Orugbó: Hacer rogación.

Osogbo / osobbo: Influencia negativa, mala suerte.

Osucuan: La luna.

Ounko: Chivo.

Owó: Dinero. Riqueza.

Paraldo: Ebbó para alejar a la muerte y a los espíritus oscuros.

ÍNDICE

OJUANI BOKA

Fuentes consultadas:

Libretas y documentos inéditos de santeros e iniciados en el culto de Ifá, así como del archivo personal de Rogelio Gómez Nieves.